EDUCADOR
EDUCADOR
EDUCADOR

EDUCADOR
EDUCADOR
EDUCADOR

MADALENA FREIRE

14ª edição

Paz & Terra
Rio de Janeiro
2024

© 2008, by Madalena Freire

Capa: Miriam Lemer
Projeto gráfico e diagramação: Acqua Estúdio Gráfico

Imagens gentilmente cedidas por
Francisco Bernnand (reprodução da Série Fichas de Cultura)

14ª edição

CIP-Brasil. Catalogação-na-fonte
Sindicato Nacional dos Editores de Livros, RJ.

F934e
14ª ed.

Freire, Madalena
Educacor, educa a dor /
Madalena Freire. — 14ª ed. — Rio de Janeiro: Paz e Terra, 2024.
il. ; inclui bibliografia

ISBN 978-85-7753-063-2

1. Professores – Formação. 2. Prática de ensino.
3. Professores e alunos. I. Título.

08-0643

CDD 370.71
CDU 371.13

005376

Editora Paz e Terra Ltda.
Rua Argentina, 171, 3º andar - Rio de Janeiro/RJ - 20921-380 - Tel.: (21) 2585-2000
http://www.record.com.br

2024
Impresso no Brasil/*Printed in Brazil*

Seja um leitor preferencial Record.
Cadastre-se e receba informações sobre nossos
lançamentos e nossas promoções

Atendimento e venda direta ao leitor:
sac@record.com.br

*Tenho muitos tesouros na vida
escolhi dois a quem dedico este
pedaço de mim:
minhas quatro filhas: Carolina,
Helena, Marina e Cristina.
todas minhas alunas
e alguns alunos...
espalhados em tantas salas de aula.*

Agradeço a Leda, Penina e Stela pela acolhida nas conversas e principalmente pela ajuda na escolha do título deste livro.

Agradeço ainda a Beta e Marina Lemos, minhas secretárias, que em momentos diferentes acompanharam minhas agonias no trabalho de parto deste filho.

Por último meu agradecimento, em especial a Francisco Brennand que prontamente e de forma generosa autorizou-me o uso de suas imagens.

PREFÁCIO

Querida Madalena,

Mais uma vez uma carta no lugar de prefácio. A minha primeira destas cartas para você foi em 1982, para seu primeiro livro.

Quando os amigos me pedem um prefácio tenho medo, aquele medo inquietante, mas não paralisante que você descreve em seu livro. Tenho medo que esperem de mim análises exaustivas e aprofundadas do livro apresentado. Tenho medo dessas análises, elas conduzem os leitores e amortecem o corpo-a-corpo do LEITOR com o texto.

Na realidade, o que me dá ganas é ler o escritor e suas circunstâncias.

Mas, você está me proporcionando uma experiência ímpar, poder operar uma circularidade na minha experiência. Prefaciei seu primeiro livro que tem até hoje uma vida muito útil, fertilizando outras vidas. Era o livro de uma jovem brilhante e criativa professora. Agora me dá chance de prefaciar este novo livro de uma brilhante professora em plena maturidade, no ápice de sua vida intelectual com pensamento inventivo e poético.

Viver muito como eu estou vivendo, provoca estas alegrias do reencontro e me é prazeroso recordar outros reencontros. Comecei minha vida de professora ensinando às crianças dos alagados do Recife, sob orientação de Paulo Freire, nosso pai intelectual e seu pai de verdade. Hoje, trabalhando em um projeto na Vila Guacuri em São Paulo com crianças tão pobres quanto aquelas do Recife, volto ao começo e sinto saudades DELE. Mais uma chance de experimentar a circularidade da vida longa e o prazer das experiências consumatórias.

De circularidades, quadraturas e triangulações se faz a vida, mas um entrecruzamento como o de nossas famílias é raro.

Fui aluna de Paulo Freire, você, filha dele, minha aluna, que por sua vez foi professora de minha filha Ana Amália, que ensinou a sua filha Carolina. Foi um feliz entrelaçamento de relações pedagógicas, apesar de termos vivido uma diáspora política, exílios internacionais, como o de sua família e internos como o de minha família.

Seu livro, Madá, em termos de segurança e inteireza só pode ser comparado ao *Meu credo pedagógico* de John Dewey.

Seu livro nos oferece a leitura da sua experiência e as reflexões sobre ela.

Você cita não para mostrar que leu vários autores, cita para reforçar, confirmar, apoiar seus pensamentos e nos oferece um texto agradável que captura o leitor.

Sempre me orgulhei de ter e ler todos os livros de Arte/Educação publicados em Português, Inglês e/ou Espanhol, mas confesso que atualmente já não leio os livros, especialmente os publicados no Brasil, com o mesmo prazer que lia antes, pois estou cansada da ABNTite. Os textos não têm fluidez , são constantemente interrompidos por seqüências de parêntesis com nome de autor, data e até página. Cita-se a pretexto do óbvio. Caricaturando, a coisa é mais ou menos assim: a uma frase banal de uma linha se seguem duas linhas de nomes citados entre parêntesis Exemplo: A Arte é importante na educação (Rodrigues, 2003), (Campos, 2005), (Teles, 2005), (Martins, 2007), (Marques, 2006), (Pena, 2004), etc. E tem de ser tudo datado dos últimos cinco anos. É a Síndrome Avaliação da Capes nos Mestrados e Doutorados.

Seu livro renovou meu prazer de ler acerca de Educação e Arte/Educação. Ele será de fundamental importância para os educadores brasileiros, como o foi o primeiro, tanto pelo conteúdo como pela forma e também pela força da experimentação que o embasa.

Obrigada, Madá, pela chance de lê-lo antes mesmo de ser publicado. Um beijo

Ana Mae Barbosa

Apresentação

Quando Madalena me chamou para ajudá-la na organização de seu livro tive um misto de prazer e pânico. Como mexer num texto da "professora"? Como ficar imune àqueles conteúdos que fizeram minha formação e que orientam até hoje minha prática pedagógica?

Foi preciso ler com calma, deixar vir todas as lembranças e balanços da minha vida no grupo de estudos com ela (já faz dez anos!) para depois conseguir imergir no texto de verdade. Precisei de tempo para mergulhar, elaborar e interferir. Assim fiz. Percorrendo seus caminhos de idas e voltas, que vão compondo um "patchwork", aos poucos, até formar uma paisagem completa.

Suas frases curtas, carregadas de significado, dificultaram ainda mais o meu trabalho. Como mexer no justo, numa escrita que é seu estilo de falar? Os dias passando, fui conseguindo obter o distanciamento necessário para olhar o livro criticamente e depois de muitas noites de trabalho, acho que consegui fazer uma costura significativa.

Fiquei lisonjeada pelo convite que me fez. Madalena Freire é uma pessoa muito especial na minha vida e sei que na de muitos educadores também. Ninguém passa por ela sem virar pelo avesso. Mas é de forma acolhedora, solidária, porém com muita clareza de seu papel e independência.

Muitas pessoas não entendem o que Madalena diz. Acham que fala as mesmas coisas, que não avançou no seu trabalho. Grande engano! Ela é apenas coerente com suas idéias, embasadas nos maiores pensadores que ajudaram a pensar a Educação. Só que não fica se perdendo em citações para mostrar que sabe. Ela vive o que acredita. As teorias iluminam a sua prática, mas também fazem com que avance por meio da reflexão permanente. O que parece ser sempre a mesma coisa, na verdade é a construção de um modelo de formação pedagógica capaz de fazer com que cada um viva seu processo com autoria e autenticidade, na sua medida.

Só quem passou por um processo de formação com ela, sabe que nunca mais pensou igual. Virou do avesso, sofreu, deu boas gargalhadas e aprendeu. Quem passou por ela rompeu o "jeito papagaio de ser", tão comum na área de Educação. Também viveu algo, como ela descreve nestas páginas, e com certeza, por isso deixou de adorar as pessoas como oráculos. Não, com a Madalena é de verdade. Vive-se no fundo um processo de construção de um educador que tem vida e pensa sobre o que vive. Tem pensamento próprio, sem abandonar a teoria, mas avança nesse pensar com o que é vivido.

Neste livro, os leitores vão encontrar, de forma sintetizada, como se tornar um educador, com suas "dores e delícias de ser o que é". É para ser lido devagar. Digerindo para não cair na armadilha fácil de simplesmente repetir o que ela fala e nem achar que é tudo muito simples. Por isso, quero fazer um pouco o papel de bula deste livro, sugerindo pequenas doses sistemáticas, sugerindo que se vá observando as reações do organismo. Para fazer efeito, deve ser compartilhado aquilo que incomoda, que ajuda e que renova. Se as reações forem muito adversas, reduza a dosagem, mas não desista! Aproveite para aprender muito, discordar, avançar. É para ser entendido como se fala, mas vivido no mundo real.

Madalena na minha vida significou aprender a fazer mais que trabalhar como educadora. Foi aprender a fazer o que ela chama de militância pedagógica. Isso tem sido minha energia para acreditar e continuar investindo na Educação, mesmo em tempos que exigem nadar contra a corrente. Com muito orgulho!

Lourdes Atié

SUMÁRIO

Introdução, 19

SER EDUCADOR

- Educador, 31
- Formação, 41
- Aprendendo a ensinar, 61
- Grupo, 94

ESCOLA E FAMÍLIA

- Escola e Família, 144
- Sala de aula, 149
- Militante pedagógico, 181

DIALOGANDO
- Entrevistas, 191

PARA ESTUDAR, 209

INTRODUÇÃO

Tive três grandes marcos na minha formação.

Minha mãe e *meu pai* como modelos fundantes, primeiros, em seguida *Noemia Varela*, então diretora da Escolinha de arte do Recife em 1956, onde fui introduzida às obras de Francisco Brennand e outros artistas da minha cidade, e ao mundo fascinante da arte. Quem diria, naqueles tempos, que Brennand estaria hoje nas páginas deste livro.

Depois em 1969, na Escolinha de Arte de São Paulo com *Ana Mae Barbosa* onde iniciei a sistematização da minha formação como arte-educadora!

A todos eles, marcos inspiradores, devo muitos privilégios: com meus pais o aprendizado da fibra, garra, fé, amorosidade e paixão. Com "Dona Noemia" a doçura, a serenidade, a paciência calma. Com Ana Mae, o brilho da arte, a sagacidade da razão, da fundamentação teórica, encharcada de colorido vibrante de seus colares e pulseiras!

A todos eles meu muito e muito eterno reconhecimento e gratidão.

Muito cedo nasceu dentro de mim a vontade, o desejo de ser professora.

Era mês de janeiro, Praia de Rio Doce, Recife, casa alugada de "Seu Franca", muro alto, "casa moderna" – porque os móveis, mesa e cama eram embutidos na parede, ou seja eram feitos de alvenaria.... Uma verdadeira sensação!

Vivíamos, nesses meses de férias um ritual à beira mar que me fascinava! O dia começava antes do amanhecer. Minha mãe nos chamando para "ver o sol nascer" às 4:45 da manhã!... Banho de mar vendo aquela bola de fogo, imã de alegria e energia inebriante! Depois, "café com pão e manteiga", praia, banho de mar, banho de mar, banho de mar. Almoço, feijão, arroz, peixe e peixe. Depois do almoço o decreto vinha: "ninguém entra no mar antes de fazer a digestão!" Só se volta à praia às 15 horas! Ai que sofrimento!

A espera do mar era consolada com a promessa de "tomar sorvete quando o sorveteiro passar..." assim, nesta tarde de janeiro, na espera do sorveteiro, sua demora nos anunciou que não viria... Desta falta nasceu uma brincadeira de sorveteiro onde minha revelação profissional aconteceu.

A função do sorveteiro era vivida, representada, de modo rodiziado. Cada um de nós tinha a vez de ser o sorveteiro. Quando chegou a minha vez, encantei-me e me achei no extremo prazer em ensinar como se passava a espátula alisando a massa do sorvete para que não caísse do copo!

Somente muitos e muitos anos depois daqueles seis anos de idade, estudando sobre a importância da brincadeira, do jogo simbólico na vida de uma criança que, não foi à toa, a vontade de ser professora nasceu num momento como aquele.

Ao terminar a brincadeira corri para casa e anunciei à minha mãe: "quero ser professora"! Desde aí, começou minha busca.

Na adolescência, aos dezesseis anos, veio a experiência ao lado do meu pai e da minha mãe na "Campanha Nacional de Alfabetização", em 1963, nos "Círculos de Cultura" em Tiriri, Pernambuco e, "Angicos" no Rio Grande do Norte. Foi o início de minha formação, discutindo "as fichas de cultura" nas telas de Brennand. Comecei assim meu aprendizado sobre a importância do registro, da observação, da escuta, do enfrentamento dos conflitos, do diálogo no grupo. Desde este tempo, nunca mais sai de uma sala de aula.

Os textos que constituem este livro, todos foram vividos, gestados em salas de aula, nos cursos de acompanhamento do processo de formação de educadores, pelo Brasil afora. Todos dizem respeito aos dilemas enfrentados em meu processo de aprendizagem (no meu ensinar) junto a tantos alunos. Por isto mesmo é um livro voltado à *elas* e infelizmente, pouquíssimos *eles* ... Quero com esta publicação alimentá-los em suas reflexões. Minha intenção e desafio é oferecer um livro simples sem ser simplista que não caia no nosso pedagogês viciado, que tenha o movimento de ir e voltar, anunciar e repetir os temas, como no desenvolvimento de uma sinfonia. Os poemas, os pequenos textos entrelaçados mostram a minha pessoa que também cresce, muda, morre, renasce, sofre, odeia, ama, mas enfrenta num só corpo a vida pessoal e profissional. *"Somos uma inteireza"* como nos diz Paulo Freire; com isto quero dizer e mostrar que a matéria-prima a ser forjada, lapidada, somos nós mesmos, junto com os outros, neste processo permanente pela beleza do conhecimento na busca da transformação, mudança *viva em vida.*

Madalena Freire

Quando
uma emoção intensa,
plena
envolve o corpo
(irradiando, espalhando prazer e paz)
E uma alegria de sol quente
Excita a cabeça e a alma...

Quando
uma chama quente
ardente
abraça o peito
(dilacerando, propagando dor e agitação)
e uma tristeza quieta
paralisa a boca e o coração...

Não há o que perguntar,
duvidar, remediar,
ela chegou.
— Quem?
— Paixão? Morte? Vida?
— Sim! Todas
— A vida
na crueza, força e beleza de sua presença.

SER EDUCADOR

©Francisco Brennand

INCOMPLETUDE

Um dos sintomas de estar vivo é a nossa capacidade de desejar e de nos apaixonar, amar e odiar, construir e destruir.

Somos movidos pelo desejo de crescer, de aprender, e nós educadores, também de ensinar.

Somos sujeitos porque desejamos.

Somos sujeitos porque criamos, imaginamos e sonhamos.

Somos sujeitos porque amamos e odiamos, destruímos e construímos conhecimento.

Somos sujeitos porque temos uma ação pensante, reflexiva, simbólica, laboriosa no mundo.

Contudo, tem muito sujeito que não é dono de seu desejo, de seu fazer, de seu pensamento.

Como fazê-lo reconhecer o próprio desejo, pensamento, se nunca lhe foi possível praticá-lo?

Enquanto humanos somos incompletude, convivemos permanentemente com a falta. Sempre falta. É da falta que nasce o desejo. Porque seres incompletos, no convívio permanente com a falta, somos sujeitos desejantes.

Desejamos e sonhamos um mundo melhor, uma vida melhor, sonhamos e desejamos melhorar o mundo, melhorar a vida, lutando em aprender mais, "ser mais", superando nossos desafios e limites.

Enquanto humanos "somos uma inteireza", e ao mesmo tempo "seres inacabados" como nos diz Paulo Freire. Inteireza, marcada por dimensões que nos constitui numa totalidade; somos constituídos de cognição, razão, inteligência, mas também de afetividade, amorosidade. Só aprendemos e ensinamos por amor ou por ódio, nunca na indiferença. Nascemos do amor, foi necessário que dois se amassem, para dar origem a um terceiro. Daí em diante não paramos de buscar, de depender do amor para o resto de nossas vidas. Somos geneticamente amorosos. Aprendemos, conhecemos por amor ou por ódio, construindo vínculo. Na indiferença não há vínculo, por isso mesmo, é uma forma sutil de violência, porque é negação do grupo.

Porque somos "geneticamente amorosos", somos também "geneticamente sociais". Nascemos de dois, em um grupo, nossa família. E, daí em diante, não paramos de viver em grupo e depender dos grupos onde aprendemos, trabalhamos. Dependemos sempre do outro que nos completa, nos amplia, nos esclarece, nos limita, nos retrata no que somos, no que nos falta, porque somos incompletude e unicidade.

Temos uma marca em nosso corpo, nossa impressão digital, que registra que cada um de nós é um único exemplar na face da Terra e, por isso mesmo, estamos fadados ao mundo das diferenças, sempre em confronto com o diferente. Sempre incluindo os outros à vida de grupo, do heterogêneo.

Nessa incompletude desejante, estamos sempre buscando respostas, resolvendo problemas, inventando problemas, criando saídas. Bicho não cria, repete-se exatamente, porque não tem consciência de sua incompletude, de sua finitude; gente, pelo contrário, é marcada por esta consciência e por isso, por sua capacidade de *pensar, criar, inventar, imaginar, sonhar*, projeta, vive o presente, constrói o futuro. Somos também geneticamente criadores. Estamos sempre nos defrontando com nosso processo criador. Uns mais conscientes, outros menos. Mas sempre, enquanto "seres simbólicos", como afirma Cassirer, transformando, dando significado ao que nos rodeia. Um vaso de flor pendurado na frente da

S ER EDUCADOR

casa, já não é mais aquela lata de óleo de antes... Temos o poder, a capacidade, a competência de embelezar o mundo! Por isso, enquanto sujeitos sensíveis e estéticos, estamos sempre em busca da beleza, do belo. Nos sensibilizamos, nos arrepiamos, choramos com a beleza da flor, da música, daquela pintura, daquela dança, daquele texto...

Vida de Educador

Educador
Educa a dor da *falta*
a dor *cognitiva*
Educando a busca do *conhecimento*.

Educador
Educa a dor do *limite*
a dor *afetiva*
Educando o *desejo*.

Educador
Educa a dor da *frustração*
a dor da *perda*
Educando o *humano*, na sua capacidade de amar.

Educador
Educa a dor do diferenciar-se
a dor da individuação
Educando a autonomia

Educador
Educa a dor da imprevisão
a dor do incontrolável
Educando o entusiasmo da criação.

FERIDA NO PEITO

Carrego uma ferida no peito
escondida
por baixo de muitas camadas de história,
intacta, guardada,
quase petrificada
por tanta dor
sofrida
lá dentro, bem lá no fundo
da alvura da alma
volátil
que me habita.

Convivo com uma ferida no peito
e o tempo vem ensinando-me
a fazer curativos invisíveis
com longuíssimas pinças
fisgando agulhas, farpas pontiagudas
cravadas
lá dentro, bem lá no fundo
do vermelhão tinto
prisioneiro aterrado
que me palpita.

Rir, brincar e conhecer

Qualidades que o educador necessita educar constantemente:

- sua capacidade de brincar com as situações de aprendizagem;
- sua capacidade de rir de seus erros, ajudando os outros a fazerem o mesmo.

Brincar e rir são qualidades da criança que nós fomos e que não nos deixa nunca.

Do mesmo modo que brincávamos de "casinha" ou de "professora", construindo nossas hipóteses sobre estes conteúdos, onde o jogo, o riso, nos impulsionavam. O desafio de todo educador (e educando) é alimentar este espírito lúdico em nosso ensinar e aprender.

A atividade de brincar, jogar, rir com as situações de aprendizagem são instrumentalizadas pelo exercício da reflexão cotidiana sobre a prática. Rimos quando já ganhamos certo distanciamento do objeto em estudo. No envolvimento dos desafios "não tem graça nenhuma"... É na reflexão sistematizada sobre a prática que conquistamos esse distanciamento necessário para vermos nossos erros e acertos, ou de podermos alimentar nosso brincar. Rimos porque a reflexão nos mostra o processo. Processo constituído de avanços e recuos, onde sempre o desafio é crescer, mudar, transformar. É, neste sentido, que a reflexão alimenta nossa capacidade de rir e brincar, pois podemos constatar que estamos a serviço da esperança, da vida.

Educador que ri e brinca na construção de sua aula favorece a desmistificação do modelo teórico e sua relação quanto a autoridade. Humaniza-se enquanto modelo na medida em que trabalha seus erros, convidando os outros a rirem deles.

Educador que brinca e ri enquanto ensina favorece o lidar com a tensão que todo processo de aprendizagem contém. O riso dosa o confronto com esta, amenizando a ansiedade e o mal-estar.

Para rir e brincar construindo conhecimento é necessário uma boa dose de humildade e abertura para as divergências, as diferenças. Também disponibilidade para conviver com o estado de desarmonia que o conflito provoca.

Para rir e brincar com o próprio processo de aprendizagem e dos demais necessitamos alimentar nossa curiosidade, juntamente com nossa ansiedade para conhecer o novo, o inusitado.

Para rir e brincar, enquanto aprendemos e ensinamos, é necessário querer bem. Acreditar que o outro é (sempre) capaz de aprender, onde o riso e a alegria são instrumentais exercitados no jogo de sua aprendizagem.

Rir, brincar, alegrar-se são elementos constitutivos do conhecer e, ao mesmo tempo, construtivos da busca permanente da felicidade.

O recado é: leveza!

Nada de agressão ao próprio ritmo e limite!

Leveza.

Simplicidade na

essência, sem pesos.

Nada vai acabar

Tudo continua, sempre.

Concentração. Foco. Determinação.

Devagar, no próprio ritmo,

mas mantendo a constância

sem desfocar,

sem desconcentrar e

tudo na leveza.

EDUCADOR, EDUCA-DOR, EDUCA A DOR!

O educador educa a dor da falta. Educa a fome do desejo.

O educador educa a dor da falta cognitiva e afetiva para a construção do prazer. É da falta que nasce o desejo. Educa a aflição da tensão, da angústia de desejar. Educa a fome do desejo.

Para (re)acender o (re)conhecimento de desejos, sonhos de vida – esperança que nasce da apropriação do próprio pensamento – na prática pedagógica é necessário a presença instrumentalizadora de um educador na coordenação do grupo.

Educador que se disponha a aprender enquanto ensina, trabalhando seus ranços autoritários e espontaneístas na tentativa, na busca da construção de uma relação democrática.

Educador que também se disponha a acompanhar o processo de instrumentalização para a apropriação da reflexão (pensamento: prática e teoria) de seus educandos.

Para construir esse fazer o educador necessita de uma metodologia, de instrumentos metodológicos, que alicerçam esse processo de apropriação e autoria.

A reflexão é um deles porque possibilita:

- o rompimento da anestesia do cotidiano, rotineiro, acelerado, compulsivo, passivo, cego;
- o distanciamento necessário para tomar consciência do que se sabe (e pensa que não sabia) e do que ainda não se conhece;
- tecer um diagnóstico das hipóteses adequadas e inadequadas na prática pedagógica;

- a sistematização do estudo da realidade pedagógica, ao mesmo tempo que possibilita o casamento entre prática e teoria;
- instrumentalizar o acompanhamento do processo de formação do educador (apropriação de seu pensamento, sua autoria) e alicerçar o processo de transformação, mudanças;
- registrar a história – individual e coletiva – do processo na conquista do produto;
- constatar quais são as contradições entre o seu pensar teórico e a sua prática, entre o seu pensar-fazer com o dos outros;
- resgatar sua história de educando para poder pensar melhor sua prática (atual) de educador e que teoria vem alicerçando essa prática;
- elucidar sua opção pedagógica e política no ato de educar para fabricar a construção do desejo, sonhos de vida e esperança.

Porque refletimos, desejamos, sonhamos, somos sujeito, fazemos educação.

Instrumental importante na vida do ensinar do educador é o *ver* (observação), o *escutar* e o *falar*. Assim como, para estar vivo não basta só o coração batendo, para ver não basta estar de olhos abertos.

Observar, olhar o outro e a si próprio, significa estar atento, buscando o significado do desejo, acompanhando o ritmo do outro, buscando sintonia com este.

A observação faz parte da aprendizagem do olhar, que é uma ação altamente movimentada e reflexiva.

Ver é buscar, tentar compreender, ler desejos. Através do seu olhar, o educador também lança seus desejos para o outro.

Para escutar, não basta só ter ouvidos. Escutar envolve perceber o ponto de vista do outro (diferente ou similar ao nosso), abrir-se para o entendimento de sua hipótese, identificar-se com sua hipótese para compreensão do seu desejo.

Para falar, não basta ter boca, é necessário ter um desejo para comunicar, pois todo desejo pede, busca comunicação com o outro. Todo desejo é desejo do outro. É o outro que me impele a desejar...

É na fala do educador, no ensinar (intervir, devolver, encaminhar), na expressão de seu desejo, casado com o desejo que foi lido, compreendido pelo educando, que ele tece seu ensinar.

O ato de ensinar, aprender, construir conhecimento é movido pelo desejo e pela paixão.

Algumas vezes, a chama do desejo pode estar baixa, quase apagando... é quando o educador necessita reavivá-la com intervenções explícitas. Outras vezes, pelo contrário, necessita educar, limitar a força desorganizada e até destrutiva da chama...

Desejo e paixão que, através do ensinar e do aprender, são educados.

Desejo de vida e de morte.

Forças em luta permanente dentro de nós.

Expressamos nossos desejos de morte quando sonhamos com um espaço onde não existem conflitos, nem diferenças, nada em desequilíbrio, nada em movimento, processo, transformação; tudo jaz em perfeita e absoluta calmaria no homogêneo massificado.

A rigidez, o sectarismo, a imutabilidade de idéias, pensamento e ação retratam este estado.

A concepção autoritária, quando nega, castra a expressão do desejo do educando (e do educador); quando defende a passividade, a homogeneidade e doa mecanicamente o conhecimento, faz do educando um mero repetidor de conhecimentos e de desejos alheios ao que seu coração e inteligência sonham. Educa para a morte, pois o desejo e a criação foram soterrados.

Neste sentido, o autoritarismo é uma paixão triste que produz medo, desesperança, cinismo, amargura.

Paixão alegre, desejos de vida, dão muito trabalho porque são gestados no conflito, nas diferenças, no heterogêneo, no desequilíbrio das hipóteses, no choque do velho e do novo, na mudança, na transformação, no enfrentamento do caos da ação criadora, na ação do imaginar, sonhar os desejos juntamente com os outros *um sonho que se sonha só, é só um sonho: um sonho que se sonha junto, é realidade"*.

Estar vivo é estar permanentemente em conflito, produzindo dúvidas, certezas sempre questionáveis.

Estar vivo é assumir a educação do sonho no cotidiano.

Para permanecer vivo, educando a paixão, os desejos de vida e de morte, é preciso educar o medo e a coragem.

Medo e coragem em ousar.

Medo e coragem em assumir a solidão de ser diferente.

Medo e coragem em romper com o velho.

Medo e coragem em construir o novo.

Medo e coragem em assumir a educação desse drama, cujos personagens são nossos desejos de vida e morte.

Educar a paixão (de morte e de vida) é lidar com esses dois ingredientes cotidianamente através da nossa capacidade, força vital (que todo ser humano possui, uns mais, outros menos, em alguns anestesiada) de DESEJAR, SONHAR, IMAGINAR e CRIAR.

Somos sujeitos porque desejamos, sonhamos, imaginamos e criamos na busca permanente da alegria, da esperança, do fortalecimento da liberdade, de uma sociedade mais justa, da felicidade a que todos temos direito.

Este é o drama de permanecer VIVO...
    aprendendo, ensinando,
    construindo conhecimento,
    fazendo educação!

Rotina:
Limite, organização
e disciplina intelectual

A prática pedagógica é constituída de limites.

Limites da realidade dos sujeitos e de seu tempo histórico.

A estruturação da realidade interna e externa, tanto do educando quanto do educador, dá-se no confronto do reconhecimento desses limites.

O educador, no seu cotidiano, lida com a organização desses limites na construção de sua rotina.

Qualquer ação educativa é regida pelo jeito como cada educador estrutura esses limites, ou seja, pela disciplina que ele acredita necessitar para organizar o tempo e o espaço (sua rotina) de liberdade onde sua prática se desenvolve.

Educar a liberdade é educar os próprios limites (e potencialidades) em sintonia com os da realidade, onde a construção da rotina e da disciplina são ferramentas básicas.

Ninguém é livre na indisciplina, nela se é escravo da própria liberdade; ninguém é livre na desorganização dos limites, nela se é engolido por estes.

Através da disciplina, o educador organiza, delimita, direciona a liberdade para que a construção e a produção do conhecimento possam acontecer. A disciplina liberta o pensamento para a comunicação com o outro.

Ela segura o mal-estar, o desprezar da falta (do que ainda não se conhece) no processo de construção do conhecimento.

Instrumentaliza a espera para a concretização do desejo e a conquista do (conhecimento) prazer.

Assim como o artista e o cientista, mediados pela disciplina, instrumentos e técnicas educam seus limites e potencialidades para, com o rigor necessário, criar sua arte, o educador, também mediado pela disciplina, instrumentos e técnicas, educa seus limites e potencialidades para criar, com o rigor necessário, sua arte de ensinar, fazer ciência da educação.

Nessa concepção, a disciplina é uma construção que se dá no confronto de opções, perdas, frustrações e raivas, na organização dos limites dos sujeitos e da realidade.

Não é algo externo (alienado dos significados dos sujeitos) como a disciplina autoritária, porque o educador, ao mesmo tempo que instrumentaliza o processo de construção da disciplina de seu educando, também constrói, educa o seu. Nesse sentido, a construção da rotina e da disciplina é um jeito de se autogovernar, tanto individualmente quanto em grupo.

De acordo com a concepção de educação que se acredita, a rotina poderá ser instrumento de libertação, autonomia, ou de heteronomia, dependência.

Mas sempre será *constitutiva e mantenedora* do processo educativo.

Quando o educador não está devidamente estruturado na organização dos limites, seus e do grupo, nem da proposta pedagógica, seus encaminhamentos e devoluções poderão gerar indisciplina.

A indisciplina, muitas vezes, é uma resposta, conseqüência dessa ação desestruturada ou dessintonizada dos significados do grupo.

Bem sabemos que este educador disciplinado, rigoroso, que fundamenta teoricamente sua prática e faz ciência da educação, não é o que temos hoje.

Atualmente, "a educação está numa etapa pré-científica", como diz Kamii, e a prática é da heteronomia.

Falta muito. O trabalho é para décadas... e a disciplina nos instrumentalizará na espera, *fazendo-se já, desde hoje.*

Disciplina Intelectual

Todo educador cria instrumentos de trabalho que alicerçam a apropriação de sua prática.

São os instrumentos de trabalho que alicerçam a construção da disciplina intelectual.

Avaliação, observação, planejamento, registro reflexivo cotidiano fazem parte do dia-a-dia do educador (professor ou coordenador) na construção dessa disciplina.

Construir uma disciplina intelectual não é tarefa fácil. Exige esforço, constância no compromisso pela opção de lidar com perdas que impulsionam nosso crescimento.

Perda de desejos infantis de fantasias, de transformações mágicas, em que não se necessita de empenho, do esforço e do compromisso para a construção cotidiana do processo.

A autocomplacência gera o descompromisso conosco, com o outro e com o grupo.

Nenhum grupo se constrói na autocomplacência, pois toda ação disciplinada traz entranhada em si o compromisso do esforço pela opção assumida.

Sempre em um compromisso está implícito um ato de entrega meu para o outro. Sempre uma oferta, um estar presente para o outro. O descompromisso é a negação dessa oferta, dessa entrega ao outro. Uma vez que não me entrego no meu esforço de construção, não tenho também nada a oferecer para o outro.

A autocomplacência é o cupim invisível que corrói lentamente essa possibilidade de entrega, oferta para a transformação minha e do outro.

Todo educador dirige, direciona processos de crescimento para a autonomia. Todo processo de crescimento exige instrumentos de trabalho que alicerçam a conquista da autonomia através do compromisso. Educador e educando se educam através de combinados (regras para a organização), compromissos de trabalho. Compromisso assumido, educador e educando responsabilizam-se pela sua realização.

Coordenador ou professor que nega ou negligencia a condução desse acompanhamento para a realização dos compromissos fomenta a autocomplacência, a mediocridade que mata o crescimento.

Para acompanhar processos de crescimento, todo educador tem instrumentos de trabalho em que a ferramenta básica é a *exigência*, o *rigor* que gesta o compromisso. Nenhuma autoridade se constrói na autocomplacência, pois esta é o embrião da omissão. E não tem arma mais autoritária que a omissão.

Quero
Tempo aberto, solto
frouxo, leve
todo a meu favor

Quero
Tempo de não fazer nada
e ao mesmo tempo
fazer muitos desejos
que vão emergindo
guardados lá no
fundo, escondido.

Quero
Tempo de parar
aquietar, desacelerar
amansar a alma e
o fogo das paixões.
Respirar e deixar
o ar entrar, passar
e me levar com ele.

Quero tempo meu
para pensar
mais de perto,
longe, nos outros
dentro de mim.

Quero tempo para perder tempo
e ter todo o tempo
a meu dispor para
me ver
me achar
me perder
me ter.

SER EDUCADOR

DESEJO

Desejo é energia.

Para ter energia é necessário assumir a agressividade na busca da falta, da dor e do prazer da felicidade.

Viver a própria agressividade é sintoma de vitalidade.

Fazer e sofrer agressões acontecem quando nego; não exercito minha agressividade quando me omito do meu desejo, minha energia de vida. Quando silencio. O silêncio, muitas vezes é a mais apurada arma de violência, de hostilidade, contra mim mesma e o outro.

Essa é uma prática muito comum entre educadores na escola. Quando desistimos tão facilmente de nossos desejos e sonhos, quando nos acomodamos no mais bem comportado e mortal silêncio, omissão.

O desejo nos move, ele é nossa energia, nosso fogo.

Desejo limitado, educado, transforma-se em projeto.

A concretude de meus desejos são regidos pela organização das regras, das normas de ação dentro de meu projeto. A regra está sempre a serviço da produtividade de minha ação, do meu desejo. Quando instaura-se uma dicotomia, a regra caduca, o desejo também, burocratizou-se. Manter aceso, acordado, refletindo nossos desejos, projetar regras é o desafio do educador.

Formação

> Mundo afetivo recheado de lembranças, "de gostos, de cheiros, laços de fita no cabelo, escrita de pai na primeira página do caderno, Irmã Inácia com seu desprezo, os discursos encomendados, os textos idealistas da adolescência, a rebeldia sadia ao único modelo de composição de Ana Maria, da perversão da professora contra o Hugo, do pesadelo medonho que foi seguir a cartilha, a caligrafia mecânica tão longe da escrita significativa com sangue, da escrita dos segredos no diário confidente, da entrada emocionada no mundo apaixonado da literatura pelas mãos de Huxley, Clarice Lispector."

Não formaremos nem bons leitores, nem bons escritores, alienados de seus significados, cegos e mudos ao entendimento do seu processo de aprendizagem e desapropriados do seu pensar, de sua reflexão.

Não formaremos sujeitos leitores, nem tampouco escritores, alienados de sua história. História que é apropriada pelo resgate de suas lembranças. São elas que possibilitam pensar sobre os alunos que foram um dia para melhor assumirem-se enquanto educadores que estão sendo hoje.

O resgate desse mundo de lembranças, às vezes, pode parecer tão longínquo, mas nos acompanha de perto no nosso cotidiano...

Todas essas lembranças, quando resgatadas, socializadas e, assim, apropriadas, ganham status de memória. Memória que alicerça a consciência histórica, política e pedagógica desse sujeito.

MEMÓRIA

"A lembrança é libertadora."

Paulo Freire

"A lembrança é o útero da liberdade!"

John O´Neill

"Aqueles que ignoram a história são condenados a repeti-la."

W. Benjamin

Nos últimos anos, venho construindo minha prática num foco que julgo central, no primeiro movimento deste processo, que é o *resgate das lembranças da vida de aluno na sua relação com o educador, dentro da história de cada um.*

Paulo Freire, inspirado em Dewey, já há muito nos assinalava sobre a importância de valorizarmos a socialização por parte de nossos educandos, de suas *experiências*, de seus *saberes*, de sua *história*.

Histórias que entram em cena mediadas por suas lembranças. Tais lembranças necessitam ser faladas, escritas, lidas, assumidas, afirmadas, escutadas, para poderem assim ganhar status de memória, serem lapidadas. Elas nos habitam individualmente, mas seu nascimento, há muito, aconteceu no coletivo. Quando socializadas, podem assim, serem refletidas e criticadas.

Resgatar, salvar do esquecimento alienado, as lembranças de nossa história pedagógica com nossos modelos, é entrar em diálogo crítico com nosso passado, podendo assim, ajudar-nos, também, a entendê-lo, superá-lo, esquecê-lo, como ato consciente de quem perdoa. Muito diferente do estado de amnésia que se encontrava anteriormente.

Perceber-se como fazedor de histórias, marcado por nosso inacabamento e finitude, ser dono de seu destino pedagógico, profissional e pessoal é crucial dentro do processo de formação desse sujeito pensante, autor e construtor de conhecimento.

Ver-se, porque ganhou distância, num processo reflexivo, como construtor e não reprodutor do próprio processo de aprendizagem possibilita que compreenda a diferença entre construir conhecimento e reproduzir conhecimento, repetir história e construir história.

Na minha prática, no acompanhamento do processo de formação de educadores, este momento é, ao mesmo tempo, ruptura inaugural (de uma fenda) entre uma concepção de educação e "batismo" em uma outra.

A tomada de consciência do próprio processo de aprendizagem, enquanto educando e educador, suscita um forte impacto tanto no seu aspecto cognitivo, quanto, principalmente, na sua "inteligência afetiva" como nomeia José Antonio Marina. Muitos, a partir desse momento, ganham fôlego decisivo para assumirem com maior confiança a condução do próprio processo de aprendizagem no seu ensinar, com seu grupo.

Outra forte constatação dá-se em relação ao processo de ensino-aprendizagem. Percebem que só aprendemos a partir do que sabemos de nossa experiência, do que nos faz sentido, do que tem significado dentro da nossa história. Pois como nos diz Marina "só vemos o que sabemos, só compreendemos o que sabemos, só fazemos o que sabemos, só cremos no que sabemos".

Constatar no resgate de nossas lembranças que só ficou o que tinha sentido e significado é o "bisturi" para a consciência do que é aprendizagem significativa, do que é construir conhecimento e do que é fazer história.

Outra descoberta é conhecer a si próprio e aos outros, não só como sujeito cognitivo mas também afetivo. Emocionar-se com as próprias lembranças e com as dos outros, avermelhar e chorar

SER EDUCADOR

com o reaparecimento do cheiro do lanche, do rosto carrancudo da "Dona Zulmira", do olhar do grupo rindo de sua gagueira, do caminho à escola, da cartilha do zabumba, da tortura da "letra de mão", da beleza da voz generosa da professora diante de um erro; todos esses instantes de nossas lembranças quando coletivizados nos comprovam que não temos só memória, mas sim "somos memória", somos autores de nossa história pedagógica e política.

O desafio é formar, informando e resgatando num processo de acompanhamento permanente, um educador que teça seu fio para apropriação de sua história, pensamento, teoria e prática. Dessa forma, o criar, o sonhar, o inventar, pode ser instrumentalizado por um educador, possibilitando, assim, um pensar e um fazer criativo diante dos grandes desafios na construção deste educador-pesquisador que faz ciência da educação. Fazer ciência exige *exercício metodológico sistematizado*, rigoroso, de *observar*, *refletir*, *avaliar* e *planejar*. São estes que alicerçam sua pesquisa, luta cotidiana, permanente.

Quando minha mãe morreu
Morreu também (pedaço) de meu pai
Ficando o (outro) pedaço
Quando minha mãe morreu.

Quando minha mãe morreu
Ficou um pai (pedaço) conhecido,
Cara, corpo, certos jeitos e
Outro pedaço (inteiro) desconhecido.

Assim fiquei
Quando minha mãe morreu,
Órfã de mãe e
(pedaço) outro, também
órfã de pai,
inteira sem mãe e
(pedaço) com pai,
quando minha mãe morreu.

Educando o olhar
da observação

Aprendizagem do olhar

Não fomos educados para olhar pensando o mundo, a realidade, nós mesmos. Nosso olhar cristalizado nos estereótipos produziu, em nós, paralisia, fatalismo, cegueira.

Para romper com esse modelo autoritário, a observação é a ferramenta básica neste aprendizado da construção do olhar sensível e pensante.

Olhar que envolve ATENÇÃO e PRESENÇA. Atenção que, segundo Simone Weil, é a mais alta forma de generosidade. Atenção que envolve sintonia consigo mesmo, com o grupo. Concentração do olhar inclui escuta de silêncios e ruídos na comunicação.

O ver e o escutar fazem parte do processo da construção desse olhar. Também não fomos educados para a escuta. Em geral, não ouvimos o que o outro fala, mas, sim, o que gostaríamos de ouvir. Neste sentido, imaginamos o que o outro estaria falando... Não partimos de sua fala, mas de nossa fala interna. Reproduzimos, desse modo, o monólogo que nos ensinaram.

O mesmo acontece em relação ao nosso olhar estereotipado, parado, querendo ver só o que nos agrada, o que sabemos, também, reproduzindo um olhar de monólogo. Um olhar e uma escuta dessintonizada, alienada da realidade do grupo. Buscando ver e escutar não o grupo (ou o educando) real, mas o que temos na nossa imaginação, da criança que estudamos nos livros.

Ver e ouvir demanda implicação, entrega ao outro.

Estar aberto para vê-lo e/ou ouvi-lo como é, no que ele diz, partindo de suas hipóteses, de seu pensar. Dessa forma, buscar a sintonia com o ritmo do outro, do grupo, adequando, em harmonia, ao nosso.

Para tanto, também necessitamos estar concentrados em nosso ritmo interno. A ação de olhar e escutar é um sair de si para ver o outro e a realidade segundo seus próprios pontos de vista, segundo sua história.

Só podemos olhar o outro e sua história se tivermos conosco uma abertura de aprendiz que se observa (se estuda) em sua própria história.

Nesse sentido, a ação de olhar é um ato de estudar a si próprio, a realidade e o grupo à luz da teoria que nos inspira, pois sempre "só vejo o que sei" (Jean Piaget). Na ação de se perguntar sobre o que vemos é que rompemos com as insuficiências desse saber e, assim, podemos voltar à teoria para ampliar nosso pensamento e nosso olhar.

O FIO DA PERGUNTA

Vôo rasante, avoamento de olhar perdido, franzido de mal-estar, represado de divergência entre dentes, suspenso, buscando equilíbrio, bamboleando no fio solto, pelo espaço da sala.

Perguntas suspensas entre o céu e a terra no mar velado dos "não sei", "não estou entendendo nada!", "onde está o fio?", "cadê o começo?", "onde é a entrada?", "tem saída?".

Quero, "vamos fugir! Vamos fugir desse lugar!".

Caos, crise, cai da cama, da canoa, do buraco da nuvem, do salto alto.

Perdi meu travesseiro, minha âncora, meu domínio ordinário de mim mesma.

Quero. "Vamos fugir
pra outro lugar,
pra onde quer que você vá"

eu quero IR!

Pensar

Como seres humanos, nos diferenciamos dos animais por nossa capacidade de aprender, mudar, transformar, criar, fazer história, na qual o pensar alicerça esse processo de mutação.

Pensar envolve duvidar, perguntar, questionar. É uma maneira de investigar, pesquisar o mundo, as coisas. Por isso encerra algo que perturba, provoca mal-estar, insegurança, porque algo que nos parecia seguro foi atingido em nosso pensamento.

Pensar sempre envolve os outros. Pensamos porque alguém nos impulsionou a buscar uma resposta. É sempre o outro que nos obriga a pensar, e mesmo quando sozinhos os outros habitam nosso pensamento.

Reflexão e processo de formação do educador

Na concepção democrática da educação, na qual o ato de refletir (apropriação do pensamento) é expressão original de cada sujeito, está implícito que não existe um modelo de reflexão. Cada educador tem sua marca, o seu modo de registrar seu pensamento.

O ato de refletir é libertador porque instrumentaliza o educador no que ele tem de mais vital: o seu pensar.

Educador não é sujeito consciente de sua prática se não tem apropriado a sua reflexão, o seu pensamento.

Toda ação reflexiva leva sempre a constatações, descobertas, reparos, aprofundamento; e, portanto, nos leva a transformar algo em nós, nos outros, na realidade.

O importante é que cada um assuma este seu jeito e o momento de sua hipótese em seu processo.

Num primeiro movimento, a reflexão passa por um movimento de desintoxicação da visão autoritária que cada um viveu em relação à linguagem escrita.

A constatação é: "escrevo sem pensar", "não consigo escrever e refletir". É como se pensamento e linguagem escrita caminhassem dissociados. Conquista-se, nesse momento, um redimensionamento da linguagem oral e escrita, resgatando-se o próprio processo de alfabetização.

Redescobre-se o significado do ato de escrever, não como habilidade mecânica, "escrita de letras", como diz Vygotsky, mas como comunicação de pensamento.

Dependendo da história de cada um, esse movimento pode variar de intensidade e duração.

Com o exercício disciplinado da reflexão e instrumentalizado pelo educador, alcança-se uma fluidez desta ação generalizadora, teorizante: fruto dessa conquista, emerge a explícita necessidade de fundamentação teórica.

Não existe prática sem teoria, como também não existe teoria que não tenha nascido de uma prática. Porque o importante é que a reflexão seja um instrumento dinamizador entre prática e teoria. Porém, não basta pensar, refletir, o crucial é fazer com que a reflexão nos conduza à ação transformadora, que comprometa-nos com nossos desejos, nossas opções, nossa história.

Essa preocupação explícita pela fundamentação teórica é característica do segundo movimento.

Apropriando-se do que faz e pensa, o educador, sujeito pensante, começa a praticar a autoria de sua reflexão, assumindo – instrumentalizado pelo coordenador – a condução do seu processo.

Bem diferente, então, daquele que no início do movimento de desintoxicação colocava fora de si a solução e as causas de seus males pedagógicos.

Diferente, também, daquele que se considerou formado. Estava morto e não sabia. Morto na sua criação, na sua curiosidade. Morto na sua capacidade de seduzir o outro (e se deixar seduzir) para a opção do prazer de construir, parir, seu processo de reflexão, construção de sua consciência pedagógica, política.

Refletir sobre o que faz é fundamental para o educador pois torna possível a ele fazer melhor amanhã o que fez e pensou hoje. Nesse aprendizado cotidiano ele ganha a dimensão da importância do que faz e, desse modo constrói o espaço para o exercício da vigilância indispensável, de seu pensar crítico.

A sistematização da atividade de pensar nos possibilita uma tomada de consciência do que buscamos, acreditamos, sonhamos fazer. O registro reflexivo desse pensar, concretiza para nós o *rever, avaliar, replanejar* nossas ações.

Portanto nos dá condições de apropriação de nossos passos no processo de construção do conhecimento.

Quando pensamos exercitamos operações mentais, como comparar, observar, interpretar, classificar e sintetizar.

Comparar: exercita a observação de diferenças e semelhanças. Busca elementos que coincidem e os que não. Observa o que há em um e o que falta em outro. Possibilita a construção de critérios para a operação de "classificação".

Classificar: exercita a análise e a observação para, segundo os critérios, agrupar objetos, idéias, acontecimentos. Quando classificamos, pomos em ordem nossa experiência, segundo critérios que têm significado para nós.

Sintetizar: implica *abstrair, analisar, ordenar,* por em uma *seqüência e sintetizar.* Sintetizar é estabelecer de modo breve e condensado a essência das idéias centrais. Concisão sem omissão de pontos importantes.

Interpretar: exercita a *leitura* de significados. Quando interpretamos um fato, um acontecimento, um comportamento, explicamos a partir do significado que lemos. Interpretar portanto é a ação de dar e extrair significados. Interpretamos lendo significados, de nossa experiência e dos demais, construindo nossas hipóteses de leitura. Ler a realidade significativa do grupo demanda muito exercício desta operação mental.

A sistematização do exercício dessas ações mentais desperta, disciplina e produz pensamento. A tarefa do educador é possibilitar atividades sistemáticas em diferentes linguagens: verbal, plástica, escrita etc., em que o educando mediado por essas operações mentais ponha em prática seus pensamentos.

A atividade da síntese resgatando e avaliando a aula com os fichamentos dos conteúdos tem esse objetivo. Mais especificamente, no fichamento trabalhamos, exercitamos as operações mentais mencionadas. A síntese trabalha também as mesmas operações, mas dentro de um contexto. A observação como atividade planejadora da avaliação norteia nossa atuação e aprendizado na aula.

Essas operações do pensamento obviamente se intercruzam e uma desemboca na outra, possibilitando o exercício e a apropriação do nosso pensamento: construção do sujeito-autor, sujeito do conhecimento.

Estudo e reflexão.
Sobre o ato
de estudar-refletir

O educador estuda os outros, a si mesmo, a sua prática, a realidade.

O educador estuda a teoria dos outros, construindo, produzindo a sua.

O ato de estudar–refletir faz parte do cotidiano do educador, porque a pesquisa move a construção do conhecimento no ensinar, no educar.

O instrumental que disciplina sua prática de pesquisa, de estudo, é a observação e a reflexão.

A observação é o início do seu estudo. Por meio do registro de suas observações e do planejamento, ele estrutura sua reflexão.

A reflexão tece o processo de apropriação de sua prática e teoria. Somente tendo sua teoria nas mãos, o educador questiona e recria outras teorias. Na concepção democrática de educação, o ato de estudar-refletir é fonte constante de conflitos e confronto com a teoria do outro e com a sua própria. É constante o rever-se, o buscar-se a partir do entendimento do outro.

Por isso mesmo, não é uma ação passiva; pelo contrário, muitas vezes podem acontecer verdadeiros duelos com o que se está estudando: discordâncias, não-entendimentos, desentendimentos...

Dessa forma, o ato de estudar-refletir provoca dor, mal-estar e também desprazer. Mas tudo isso faz parte do movimento de fundamentação teórica que alicerça a recriação da teoria e da prática.

Neste sentido, o estudo-reflexão sempre possibilita transformações.

Em uma outra concepção de educação, o estudioso pratica o canibalismo teórico, pois preocupado em devorar a pilha de livros produz somente o verniz da reprodução. Seu estudo não gera transformação porque, desapropriado do que pensa e faz, vira um copiador exemplar da teoria dos outros. Um mascarado, matraqueador teórico, oco, roubado de sua teoria, de seu pensamento, de seu coração pedagógico.

POR QUE ESCREVER?

Por que escrever?

Para que escrever?

O que a escrita comunica?

Qual a função da escrita?

Vivemos essas questões quando crianças? Como as vivemos? Do que vivemos, o que reproduzimos em nossa prática atual enquanto professores? Continuamos com aquela mesma escrita mecânica, alienada como a do "boi baba", da cópia das sílabas decoradas, dos textos sem significado? Quando escrevemos falamos verdadeiramente do que pensamos ou reproduzimos (sem saber o significado) textos de outros, pois julgamos que só eles pensam? O que comunicamos quando escrevemos? O que de nós mesmos, sujeitos pensantes, procuramos comunicar? Nos colocamos no que escrevemos? Ou, como nos textos em que fomos alfabetizados, nada nos diz respeito, não faz parte de nossa existência, de nossos desejos, de nossa paixão?

SER EDUCADOR

Como escrevemos hoje é uma amostra de como fomos alfabetizados, do nosso entendimento crescente sobre a função da escrita. Retornar, no campo de nossas lembranças, esse acontecimento que nos batizou no mundo dos adultos e diferenciou-nos do mundo das crianças, é momento importante no resgate do nosso processo de aprendizagem.

Poder voltar atrás, relembrar, atiçar as lembranças, apropriar-se de fatos, relações guardadas e adormecidas, possibilita um re-ler e re-escrever o próprio processo de aprendizagem, localizando-o num tempo histórico com seus desafios. Voltar ao passado com os olhos do presente. Ver o presente com o olhar do passado para nos apropriarmos do que defendemos hoje na construção do futuro que acreditamos. Voltar ao que vivemos, ao que fomos, possibilita o contato íntimo com o que somos hoje, enquanto educadores. Passado e presente quando apropriados, pensados, gestam a consciência pedagógica e política, gestam o sonho que buscamos.

IMPORTÂNCIA E FUNÇÃO
DO REGISTRO ESCRITO

"O que diferencia o homem do animal é o exercício do registro da memória humana".

Vygotsky

Mediados pelo registro, deixamos nossa marca no mundo.

Há muitos tipos de registro, em linguagens verbais e não verbais. Todas elas, quando socializadas, historificam a existência social do indivíduo.

Mediados por nossos registros e reflexões tecemos o processo de apropriação de nossa história, individual e coletiva.

A escrita materializa, dá concretude ao pensamento, dando condições assim, de voltar ao passado, enquanto se está construindo a marca do presente.

É neste sentido que o registro escrito amplia a memória e historifica o processo em seus momentos e movimentos na conquista do produto de um grupo.

Mediados por nossos registros, armazenamos informações da realidade, do objeto em estudo, para poder refleti-lo, pensá-lo e, assim, apreendê-lo, transformá-lo, construindo o conhecimento antes ignorado.

Sobre o registro

Para que, por que registros?

Para que, por que refletir?

Para que, por que refletir sobre o cotidiano?

Na concepção de educação democrática, educar é ato de conhecer, refletir, aprender permanentemente.

Na concepção de educação democrática, educador e educando, educam sua reflexão dentro do cotidiano, no aqui e agora, para assim transformá-lo.

Na concepção de educação democrática, educador e educando, apropriam-se da história que vivem através do registro que dela vão fazendo e do pensamento crítico sobre ela.

O registro da prática é o fio que vai tecendo a história do nosso processo. É através dele que ficamos para os outros.

Na concepção de educação democrática, o processo educativo está sempre no grupo, pois ninguém conhece, aprende, reflete sozinho.

Na concepção de educação democrática, o educador é um leitor, escritor, pesquisador, que faz ciência da educação. Leitor no sentido amplo, aquele que lê a realidade, os outros e a si próprio, interpretando, buscando seus significados. Também é escritor que registra o seu fazer pedagógico, questionando-se, sobre as hipóteses de seu pensar.

O aprendizado do registro é o mais poderoso instrumento na construção da consciência pedagógica e política do educador, pois quando registramos, tentamos guardar, prender fragmentos do tempo vivido que nos é significativo, para mantê-lo vivo. Não somente como lembranças, mas como registro de parte da nossa história, nossa memória. Com estes registros construímos nossa memória pessoal e coletiva. Fazemos HISTÓRIA.

Ficamos para os outros em nossos registros. Assim como todo o desenvolvimento da humanidade nos é oferecido, e podemos sempre retomá-los por meio dos registros históricos – livros, obras de arte etc. A ação de registrar, em linguagem verbal ou não-verbal, nos possibilita rever nossa ação e melhor apreendê-la. O registro escrito não é o único ou o mais importante recurso.

Quando escrevemos, desenvolvemos nossa capacidade reflexiva sobre o que sabemos e o que ainda não dominamos. O ato de escrever nos obriga a formular perguntas e hipóteses, nos levando a aprender mais e mais, tanto a formulá-las quanto a respondê-las.

O registro escrito obriga o exercício de ações – operações mentais e intelectuais de classificação, ordenação, análise – obriga a objetivar e sintetizar: trabalhar a construção da estrutura do texto, a construção do pensamento.

Somente nesse exercício disciplinado, cotidiano, solitário (mas povoado de outros interlocutores) do escrever pode-se evitar, lutar contra, a vagabundagem do pensamento.

A escrita, a reflexão, disciplina o pensamento para a construção do conhecimento e do processo de autoria.

O resgate da reflexão do educador sobre sua prática pedagógica é o embrião de sua teoria que desemboca na necessidade de confronto e aprofundamento com outros teóricos. E, é nessa tarefa de reflexão que o educador formaliza, dá forma, comunica o que praticou, para assim pensar, refletir, rever o que sabe e o que ainda não conhece; o que necessita aprender, aprofundar em seu estudo teórico.

Mas escrever, registrar, refletir, não é fácil... dá muito medo, provoca dores e até pesadelos. A escrita compromete. Obriga o distanciamento entre o produtor e o seu produto. Rompe com anestesia do cotidiano alienante.

Uma coisa é escrever, ser escritor-reprodutor e reapresentador de linguagem escrita. Outra é, no exercício disciplinado do escrever, tornar-se escritor-sujeito-produtor de linguagem escrita.

É nesse sentido que, nesta concepção de educação, acompanhar e instrumentalizar o processo de formação de educadores envolve trabalhar o resgate do processo de alfabetização destes: resgate de seu pensamento como sujeito-escritor, produtor de linguagem escrita. Reaprender a ler e a escrever comunicando pensamento, construindo conhecimento.

A reflexão e o registro do pensamento envolve a todos: criança, professor, coordenador e diretor. Cada um, no seu espaço diferenciado, pensa e escreve a prática, faz teoria. O registro da reflexão e a concretização do pensamento é seu principal instrumento na construção da mudança e apropriação de sua história.

S ER EDUCADOR

O PAPEL DO REGISTRO
NA FORMAÇÃO DO EDUCADOR

O educador no seu ensinar, está em permanente fazer, propondo atividades, encaminhando propostas aos seus alunos.

Por isto mesmo sua ação tem que ser pensada, refletida para que não caia no praticismo nem no "bombeirismo pedagógico".

Esta ação pensante, onde prática, teoria e consciência são gestadas é de fundamental importância em seu processo de formação.

Contudo, não é todo educador que tem apropriado seus desejos, seu fazer, seu pensamento na construção consciente de sua prática e teoria.

Como despertá-lo deste sonho alienado, reprodutor mecânico de modismos pedagógicos?

Como formá-los para que sejam atores e autores conscientes de seu destino pedagógico e político? Como exigir que já estejam prontos para determinada prática pedagógica se nunca, ou muito pouco, exercitaram o seu pensar reflexivo e a socialização de suas idéias?

O registro da reflexão sobre a prática constitui-se como instrumento indispensável à construção desse sujeito criador, desejante e autor de seu próprio sonho.

O registro permite romper a anestesia diante de um cotidiano cego, passivo ou compulsivo, porque obriga pensar.

Permite ganhar o distanciamento necessário ao ato de refletir sobre o próprio fazer sinalizando para o estudo e busca de fundamentação teórica.

Permite também a retomada e revisão de encaminhamentos feitos, porque possibilita a avaliação sobre a prática, constituindo-se fonte de investigação e replanejamento para a adequação de ações futuras.

O registro permite a sistematização de um estudo feito ou de uma situação de aprendizagem vivida. O registro é História, memória individual e coletiva eternizadas na palavra grafada. É o meio capaz de tornar o educador consciente de sua prática de ensino, tanto quanto do compromisso político que a reveste.

Mas não é fácil escrever e refletir sobre nossa ação de ensinar. No decorrer destes anos, desde 1979, tanto no acompanhamento da reflexão de educadores, como no meu exercício permanente de reflexão e registro sobre a minha própria prática, tenho me certificado da importância desse exercício no processo de apropriação do pensamento.

A seleção, por cada um, do que é relevante ser registrado se faz lenta e gradual. A princípio não há clareza sobre as prioridades, sobre o que é importante guardar para além da lembrança, as vezes vaga, que pode ser guardada pela memória imediata.

No processo de formação de educadores entendo ser de extrema importância o desenvolvimento do registro enquanto ação sistemática no ritual do educador. Nesse sentido a proposta do curso de formação estrutura-se de forma a propiciar esse exercício, primeiramente, através da escrita sobre a aula, da sua síntese, que exige o exercício do registro em dois momentos distintos: primeiro, no ato mesmo da aula e depois, já distanciado dela.

No primeiro momento o exercício de observação e escuta subsidiam o registro apontando para os dados mais relevantes e significativos. Na aula, os educadores em curso observam as ações de ensino bem como a dinâmica constituída pelo grupo e acompanham a discussão dos conteúdos tratados.

O registro posterior, longe do espaço/tempo em que ocorreu a ação, caracteriza um outro e distinto movimento reflexivo. É nesse momento que os dados coletados podem ser interpretados lançando luzes à novas hipóteses e encaminhamentos, tanto no que diz respeito as ações de ensino, quanto no que aponta para as necessidades da aprendizagem. Dessa maneira, o educador, leitor e produtor de significados, cerca com rigor o seu pensar estudioso sobre a realidade pedagógica. Mas não basta registrar e guardar para si o que foi pensado, é fundamental socializar os conteúdos da reflexão de cada um para todos. É fundamental a oferta do entendimento individual para a construção do acervo coletivo. Como bem pontuava Paulo Freire, o registro da reflexão e sua socialização num grupo são "fundadores da consciência" e assim sendo (sem risco de nos enganarmos) são também instrumentos para a construção de conhecimento.

Nesse aprendizado permanente de escrever e socializar nossa reflexão valendo-nos do diálogo com outros, sedimenta-se a disciplina intelectual tão necessária a um educador pesquisador, estudioso do que faz e da fundamentação teórica que o inspira no seu ensinar.

O registro é instrumento para a construção da competência desse profissional reflexivo, que recupera em si o papel de intelectual que faz ciência da educação.

> Quando estou triste
> e o tempo não está,
> trato de pôr óculos escuros, fechar portas e janelas e
> espero a escuridão chegar.
>
> Quando a tristeza não está em mim
> e no tempo está,
> trato de acender velas e todas as luzes, junto com a
> menina que mora em mim, desenhando o sol na areia,
> chamando quem falta chegar.

MADALENA FREIRE

Aprendendo a Ensinar

©Francisco Brennand

M E D O

Medo de se envolver, de arriscar-se, de falar, de ousar, de se mostrar?

Medo de se comprometer, de não mais poder recuar, saltar, voltar atrás?

Medo de se mostrar no que cada um é, no seu limite, nas suas faltas, na sua ignorância?

– Medo?

– Medo.

Medo, que o corpo fala:

– na mudez aterrorizada, na paralisia dos gestos, no cochicho barulhento, no riso histérico, na falação oca, na bochecha avermelhada, no pedido de toque que apazigúe a perdição, no olhar descolado, sem chão, viajando nuvens, vendo camelo albino, dinossauros, na busca agoniada no desconhecido, do novo...

– Medo?

– Medo.

O medo faz parte do processo de aprendizagem, do agir, do fazer. Termômetro que se está nascendo, construindo o novo, é o gosto de medo no corpo.

Não fomos educados para enfrentarmos o medo desta construção e sim para a passividade silenciosa, omissa do não se expor, para bem educadamente reproduzir o conhecimento.

Enfrentar o medo de se expor, de assumir-se, rompendo nossa couraça autoritária, é o anúncio de uma nova relação numa concepção democrática de educação, em que cada um aposta e depende do outro e de si, para a construção de sua autoria, do conhecimento e de sua história.

A AVENTURA DE ENSINAR, CRIAR, EDUCAR E APRENDER

> Criar "é um processo existencial. Não lida apenas com pensamentos, nem somente com emoções, mas se origina nas profundezas do nosso ser, onde a emoção permeia os pensamentos ao mesmo tempo que a inteligência estrutura, organiza as emoções. A ação criadora dá forma, torna inteligível, compreensível o mundo das emoções".
>
> Fayga Ostrower

O ato criador é o processo de dar forma e vida aos nossos desejos. Assim, é necessário estar concentrado – com o corpo e alma presentes – para desenvolver o esforço, na educação, do desejo que traz o germe da paixão. Paixão que precisa ser educada...

No exercício disciplinado de sua arte (mediado por seus instrumentos metodológicos) é que a paixão de educador é educada.

O educador lida com a arte de educar. O instrumento de sua arte é a Pedagogia, ciência da educação e do ensinar.

É no seu ensinar que se dá seu aprendizado de artista.

Toda pedagogia sedimenta-se num método, maneira de ordenar, organizar com disciplina a ação pedagógica, segundo certos pressupostos teóricos.

Toda pedagogia está engajada a uma concepção de sociedade e à política, sempre.

No processo de educar o educador faz arte, ciência e política. Faz política, quando alicerça seu fazer pedagógico a favor ou contra uma classe social determinada. Faz ciência, quando estrutura sua ação pedagógica, apoiado no método de investigação científica. Faz arte, porque se defronta com o processo de criação, porque valoriza a estética na sua prática educativa ao lidar com o imaginário e o inusitado cotidianamente. A ação criadora envolve o estruturar, dar forma significativa ao conhecimento. Toda ação criadora consiste em transpor certas possibilidades latentes para o campo do possível, do real.

EDUCAR A PAIXÃO

Somos, enquanto pessoa humana, marcados pela incompletude, pela falta. É da falta que nasce o desejo.

Porque sempre falta, somos sujeitos desejantes.

Porque desejamos, sentimos e constatamos a falta, a temos presente.

Porque nunca estamos satisfeitos (só temporariamente...) sonhamos, temos futuro.

Sem a falta, não existiria desejo, nem sonho, nem futuro, nem sujeito autor do destino.

Sem a consciência da falta, não existiria aprendizagem humana, apropriação do sonho presente e futuro, mas sim adestramento.

Somos, enquanto pessoa humana, marcados por nossa capacidade de aprender, buscar o que nos falta, desejamos.

Mas nem tudo que desejamos, podemos. O desejo é ilimitado, o poder é limitado. Por isso, necessitamos educar nossos desejos para um exercício *real* de nosso poder.

– O que desejo?

– O que posso?

– Ao que não posso dar vida, nesta realidade atual, nesse meu desejo?

– O que há de morte, sonho de paralisia, no que venho desejando?

Nem tudo que desejamos nos impulsiona para a produtividade da vida. Há desejos, energia de vida e de morte, que ao mesmo tempo nos constitui e nos habita. Desejos esses, que necessitam ser educados.

Desejos de vida são aqueles que nos impulsionam para os conflitos, para os problemas na busca de sua superação, transformação, mudança.

Desejos de morte, pelo contrário, nos empurram ao não enfrentamento das dificuldades, dos problemas, dos conflitos, deixando-os resguardados e acomodados na repetição, na mesmice da reprodução e, portanto, no não pensar reflexivo.

Enquanto vida é pensar, refletir sobre os conflitos, as diferenças, divergências e diversidades da realidade para transformá-las; morte é acomodação, paralisia deste pensar reflexivo, repetição de respostas falecidas que não surtem nenhuma mudança em nossa prática. Mas é necessário morrer para o velho para o novo nascer.

Pensar-se e assumir-se enquanto sujeito desejante de vida e morte é educar a paixão. Paixão de aprender, paixão de ensinar.

Ensinar possibilitando, instigando, provocando cada aluno a assumir a educação de seus desejos, vôo único de libertação, para a construção de sua autoria e destino.

"Que ato de feitiço faz adormecer esse educador que existe em nós? Nos "donos do poder" temos a explicação: eles nos castram". Mas nós também procuramos e consentimos muitas vezes em seguir esse caminho.

E por que não assumir o que somos integralmente?

Por que não *viver* esse todo que somos?

Por que não assumir a vida?

Há vários momentos na vida em que o nascimento se repete. No primeiro, a vida nos é dada como uma oferenda, como um presente.

Mas, deste momento em diante, *nós* é que temos que lutar pelo nosso renascimento – crescimento constante, permanente.

Onde VIVER é lutar contra as mortes invisíveis, onde VIVER é conquistar constantemente a *vida*. Não se está VIVO simplesmente porque o coração está batendo...

Acredito que cada educador tem como desafio VIVER essa VIDA com cada um de seus educandos.

Cada educador tem como desafio gerar o *re-nascimento-crescimento* de cada um.

Cada educador deve viver essa sua inteireza com cada educando.

Porque o que vale é a relação amorosa que o liga a cada um. E cada um é um, com um NOME, com uma história, sofrendo tristeza e tendo esperança.

Não existe educador fora desse ato de amor.

Ato de amor a nós mesmos, quando nos assumimos com nossos sonhos, nossos limites; ato de amor pelos outros quando os acolhemos com seus limites e sonhos.

O grande desafio é manter-se acordado, vivo, para poder assim acordar os outros. Viver com os outros.

Que vida poderei viver com meus alunos, se não estou com a minha vida nas mãos? Se não estou sendo eu mesma, na minha *totalidade*?

Educar (conhecer) não é dividir em pedacinhos, é VIVER A TOTALIDADE.

Não existe educação sem conhecimento, sem amor, sem esses "temperos" que condimentam o *sentido da vida, da educação*.

COMO VIVER?

Como viver **VIVA**
com esta dor que **fere**
como **fera**
o peito
dentro e **fora**
a**flor**ando
tua presença **foragida**?

Como viver
com esta **fera**
que **fere**
o peito
a**flor**ando
dentro e **fora**
tua presença **foragida**?

Como viver
com tua presença
que **fere**
como **fera**
a**flor**ando
no peito
dentro e fora
a dor da **VIDA**
nesta tua presença,
foragida?

VONTADE, INTERESSE E NECESSIDADE

Para aprender e ensinar é necessário desejar. Termômetro de VIDA é o desejo, a constatação da falta. O desejo nos mantém despertos, acesos na busca do que nos falta. E sempre nos falta...

Somos sujeitos porque desejamos, sonhamos, criamos. O desejo nos impulsiona na nossa curiosidade de encontrar respostas, na nossa vontade de fazer, no nosso interesse de conhecer, na nossa necessidade de aprender.

Vontade, interesse e necessidade são movimentos do ato de desejar. Os três são ações desejantes, são movimentos do desejo na ação de aprender.

A função do educador, enquanto leitor de desejos é, dentro do seu ensinar, aprender a ler: vontade, interesse e necessidade.

Para assim, instrumentalizando-as, possibilitar que seus educandos assumam a condução de seus desejos, seu destino, sua autonomia.

A vontade é um desejo que explode, manifesta-se com força mas, que na primeira dificuldade, esmorece.

A vontade é fugaz, na mesma rapidez que surge pode desaparecer.

A vontade é frágil, necessita ser educada. É o movimento do desejar mais fácil de ser lido pelo educador.

A função do educador neste movimento é "segurar" a vontade do educando. Dar apoio e instrumentos para que enfrente as dificuldades no exercício de sua vontade. Exigir o compromisso no exercício que se colocou anteriormente.

O interesse é a delimitação do que se quer conhecer, é mais persistente na sua duração. É capaz de perdurar aos primeiros desafios e é buscado com maior clareza por parte do educando.

O interesse é verbalizado claramente e, também, fundamentado na sua busca. O interesse também é claro em sua leitura pelo educador.

A função do educador é de instrumentalizador dos interesses com proposta de atividades, tarefas delimitadas que informem sobre seu conteúdo, para ir aprofundando seu estudo.

A necessidade, essa sim, é mais difícil de ser lida... A necessidade vem encoberta, vem expressa numa pequena pergunta, numa informação, encobrindo um interesse ou uma vontade. Em outras situações o educando não consegue expressar suas inquietações nem dúvidas, estamos diante de uma necessidade.

O desafio do educador em seu ensinar é ir construindo-se como leitor de faltas, de desejos. Procurando provocar o desequilíbrio entre os saberes no grupo, para que as necessidades, interesses e vontades venham sendo explicitados e, assim, possa alimentá-los teoricamente para que a aprendizagem e a mudança aconteçam.

O educador no seu ensinar tem, juntamente com o grupo, seus alunos, a sistematização dos conhecimentos, dando o laço nas pontas dos fios (conteúdos pedagógicos) que está tecendo.

Os fios sempre necessitam de laços (vínculos) entremeados para construírem a teia do tecido do grupo.

Fios soltos, abertos, não tecem o tecido do conhecimento, nem do grupo.

Fios frouxos, sem o rigor que a construção do conhecimento exige, produz tecido (texto) irregular, compondo um todo frágil de pouca resistência (pedagógica) e durabilidade (de mais uma moda pedagógica).

O educador tece amarrando os conteúdos, enlaçando os fios para a composição do tecido pedagógico (produto) do grupo. Para isso, ele necessita educar sua mão (sensibilidade e razão) para saber determinar, direcionar com rigor, a força que cada (conteúdo) "laçada", "ponto" exige. Pois quando esta força é demasiada, produz "nó cego". O resultado é um tecido rijo, sem flexibilidade (sem fluência na aprendizagem) sem maciez (prazer pela conquista do produto de cada um e de todos).

O difícil para o educador é tecer seu ensinar como o bicho-da-seda, num trabalho de formiga, mas também de cigarra, que esbanja alegria no seu cotidiano; amarrando – sistematizando, ponto a ponto com a força, a diretividade adequada, rigorosa e cotidianamente – os fios, buscando a construção da maciez densa do veludo e a leveza consistente da seda pedagógica.

Todo educador tem que educar esta capacidade tão essencial de perguntar, que nos impulsiona à vitalidade de pensar, pesquisar, aprender. Assim, o registrar de sua reflexão cotidiana significa abrir-se para seu processo de aprendizagem, pois aquele que ensina aprende e é um modelo de aprendiz para seus alunos no seu ensinar.

O educador é um alfabetizador.

Percebe-se que o exercício de leitor e escritor da realidade não é tarefa fácil. Requer disponibilidade para realfabetizar-se em outra concepção de educação. Reaprender a olhar – romper com visões cegas, esvaziadas de significados – na busca de interpretar, dar significados ao que vemos e lemos da realidade é o principal desafio. Esta postura fundamenta a função do educador como alfabetizador. Alfabetizador entendido, aqui, não apenas como aquele que lida com a linguagem escrita, mas também com outras linguagens e, em qualquer faixa etária. É leitor e escritor de textos, também, visuais, corporais, sonoras etc.

A questão não se resume em criar ambientes alfabetizadores na língua escrita. É bem maior que isso! O desafio está em acompanhar o processo de realfabetização (pensamento e reflexão) deste educador. Realfabetização nas várias linguagens em que seu pensamento e leitura de mundo exercitam-se.

Para isso, temos de criar espaços sistematizados de acompanhamento, com intervenções e encaminhamentos em:

Prática estética

Espaço onde esse educador entra em contato com seu processo criador em outras linguagens – verbal e não-verbal -- apurando seu *ser-sensível*. Espaço de desvelar/ampliar seus referenciais pessoais e culturais para exercitar, também, a organização, a sistematização e a apropriação de seu pensamento.

Aprendemos porque simbolizamos, experienciamos, pesquisamos, nos envolvemos com nosso fazer e com o do outro, seja criança ou artista. Aprendizagem do fazer, do ler, do pensar, do expressar e comunicar idéias e sentimentos. Nova alfabetização com outros códigos, instrumentalizando o sujeito-autor.

Prática reflexiva sobre a ação pedagógica

Aprendemos a pensar junto com o outro, num grupo coordenado por um educador na função de coordenador. Aprendemos a ler, construindo novas hipóteses na interação com o outro. Aprendemos a escrever, organizando nossas hipóteses no confronto com as hipóteses do outro. Aprendemos a refletir, estruturando nossas hipóteses na interação e na troca com o grupo. A ação, a interação e a troca, movem o processo de aprendizagem. A função do educador (estando ele como professor, coordenador ou diretor) é interagir com seus educandos para coordenar a troca na busca do conhecimento.

A socialização da reflexão sobre a prática move o processo de formação permanente.

Pensar sobre a prática sem o seu registro é um patamar da reflexão. Outro, bem distinto, é ter o pensamento registrado por escrito. O primeiro fica na oralidade, não possibilitando a ação de revisão, ficando no campo das lembranças. O segundo, força o distanciamento, revelando o produto do próprio pensamento, possibilitando rever, corrigir, aprofundar idéias, ampliar o próprio pensar.

É, neste sentido, que a reflexão trabalha o pensamento e o seu registro permite que se supere o mundo das lembranças. A reflexão registrada tece a memória, a história do sujeito e do seu grupo. Sem a sistematização deste registro refletido, não há apropriação do pensamento do sujeito-autor e, dificilmente, poderemos gestar esse educador alfabetizador.

Sujeito alienado do próprio pensamento torna-se um mero copiador da teoria de outros.

Prática teórica

Espaço de estudo, enraizado nos conteúdos do educando (sua realidade significativa), também nos conteúdos do educador e nos da matéria.

Aprendemos porque damos significados à realidade, porque buscamos, desejamos desvelar o *porquê* do que não conhecemos. Toda busca de saber nasce de uma inquietação, da falta que emana da prática. Prática reveladora de uma concepção teórica que a fundamenta.

Dominar, pelo estudo, o modelo teórico que nos inspira e voltar-se à prática para recriá-la, é tarefa de estudioso... Aquele que estuda a realidade pedagógica e teórica. Portanto, estamos desvelando um sujeito que é autor de seu pensamento, que faz prática e teoria.

Falar em construtivismo, sociointeracionismo, sujeito-pensante, construtor de conhecimento sem possibilitar o acompanhamento deste pensamento reflexivo dos professores, é falar no vazio.

Para formar um educador, sob a inspiração deste marco teórico, faz-se necessário resgatar o que este educador sabe, pensa e reflete para, inserido neste conteúdo, iniciarmos o processo de informação teórica e, ao mesmo tempo, de acompanhamento de sua reflexão.

Modelo, imitação
e processo de formação

Para aprender é necessário um desejo. Desejo de imitar, copiar. Para imitar é necessário identificar-se com um modelo. Tanto educando com educador, quanto educador com educando. Educando no desejo de identificação de *ser como, saber como, aprender com*.

Aprender envolve introjeção de modelos, mediados pela cópia, pela imitação. Aprendemos sempre a partir de um modelo, nunca do nada. Não existe ação educativa que prescinda de modelos.

Modelos são parâmetros de imitação reprodutiva num primeiro movimento, de representação, num segundo, e somente de recriação num terceiro movimento.

Não existe processo de autonomia que não parta da imitação heterônoma. Educando imita o educador porque se identifica com este. Educador se empresta como modelo porque identifica-se com o educando que um dia ele também foi, e com as hipóteses que este formula.

Cada concepção de educação tem uma visão do que é conhecer, aprender e ensinar. Para cada uma, portanto, há uma concepção também da função da imitação e da cópia.

Na concepção espontaneísta o educador abomina modelos e termina assim não possibilitando explicitamente sua imitação pelo educando. Ao não aceitar ser modelo não oferece ao educando parâmetro de crescimento, *re-criação*. O educador espontaneísta imagina que o educando já tem condições, desde o primeiro movimento, de *re-criação*. Este educador não se dá conta de que ninguém nasce livre, autônomo. O processo de autonomia é um aprendizado cotidiano e permanente, em que, na interação com os outros, se educa a própria liberdade. É neste sentido, que a liberdade é social e o processo de autonomia, de libertação, se dá no coletivo, coordenado por um educador.

Educador que não se assume enquanto modelo, que não instrumentaliza os momentos do processo de imitação de seus educandos, não possibilita nem que estes construam sua autonomia, nem ser ele próprio, futuramente *re-criado*, criticado e reinventado.

Na concepção autoritária, pelo contrário, cristalizam-se os modelos, como paradigmas a serem sempre copiados e nunca questionados. O educador centraliza sua ação unicamente no primeiro movimento, favorecendo assim, a cristalização da imitação heterônoma.

Numa outra concepção, a democrática, o objetivo do educador é partir do primeiro movimento, no qual há um momento de reprodução (cópia fiel) do modelo. O educando tem como desafio: "fazer igual". A imitação geralmente se dá no ato. Está "colada", "muito perto" do modelo. Quando longe do modelo não consegue (fielmente) reproduzi-lo. Transpõe, "transplanta" a fala e a ação. As intervenções do educador vão instrumentalizando o educando para que passe ao segundo movimento no qual nasce a necessidade de re(a)presentar o modelo, de usar suas próprias palavras, as suas próprias idéias. Neste movimento o educando já é capaz de fazer diferenciações do que é seu e do que pertence ao modelo. O ensinar do coordenador deve levar à conquista da recriação do modelo no terceiro movimento, no qual o educando se dá conta da transposição que fazia antes e inicia aqui o processo de descolamento, diferenciando-se do modelo.

Função deste educador democrático é antes de tudo, assumir-se enquanto modelo, não como o autoritário o faz, centralizando unicamente a instrumentalização, nem como o espontaneísta, negando o "emprestar-se" ao outro, mas permitindo ao educando o processo de imitação e de cópia, para que possa introjetar o modelo e passando a saber o que antes não conhecia e por isso mesmo tem condições de recriá-lo.

Neste movimento, temos o clímax do processo de aprendizagem.

É nele que a transformação ocorre, possibilitando mudanças reais do sujeito e na realidade; o que nos indica que aprendeu, ampliou, transformou seu conhecimento, mudou.

O processo de imitação é o que alicerça o processo de aprendizagem, possibilitando a construção do processo de diferenciação para a conquista da autonomia.

Processo de imitação, em que dois estão sempre envolvidos; um que imita, copia para aprender, e outro que se empresta (temporariamente) como modelo (e com seus modelos) a ser imitado.

É nesse sentido que todo educador é modelo a ser imitado. Aprendemos porque imitamos, introjetamos nossos modelos para serem recriados.

Educador que se nega a ser modelo aborta o processo de aprendizagem de seus educandos.

Aprender é superar modelos, recriando-os, e ao mesmo tempo construindo o próprio. Superação que se constitui num longo e permanente processo de aprendizagem de imitação: copiando, reproduzindo, re(a)presentando, para depois recriar. É neste sentido que o sujeito (criança, adolescente ou adulto) faz o percurso do expectador (reproduz), do ator (reapresenta) e só depois do autor.

Também, neste sentido, é que o educador, trabalhando para sua superação, possibilita, promove sua "queda", sua "morte".

"Morte" que gera apropriação do processo de pensar do seu educando.

Superar modelos não significa negá-los, jogá-los na lata do lixo da História...

Superamos modelos, reconhecendo o quanto foram importantes e fundadores de nosso saber atual, para avançarmos, ampliarmos nosso conhecimento, na construção de nosso vôo (pensamento) próprio, único, original como o próprio choro ao nascer...

Nos movimentos desse processo, temos:

1 - Primeiro movimento: imitação na presença do modelo

Imita no contato com o modelo. Faz o que ele faz, repete o que ele diz, reproduz o modelo. A reprodução pensante faz parte do processo de construção de representações. Ficar só nela mecanicamente faz parte da prática autoritária. Início da introjeção do modelo. Imita sem consciência de diferenciação, do que é seu, do que é do modelo. Ou melhor, idealiza que tudo é do modelo (momento simbiótico). Julga que o modelo sabe tudo, que não comete erros. O modelo é um mito a ser alcançado. No processo de socialização e construção do grupo só se é capaz de "ver" os outros através da mediação do modelo. No processo de apropriação de sua reflexão, encontra-se no movimento de sujeito "falante".

Longe do modelo não consegue *re-apresentar* o que no ato de imitação é capaz.

Modelo	Imitação
• parâmetro de reprodução;	• imita no ato; cópia fiel do modelo;
• mitificado; não comete erros;	• reproduz o pensamento do modelo.
• movimento de ilusionamento;	
• movimento de adoração do modelo;	
• movimento simbiótico;	
• crítica mitificada do modelo "sabe tudo".	

2 - Segundo movimento: imitação na "ausência" do modelo

É capaz de *re-apresentar* a ação e o pensamento do que foi imitado porque o modelo já foi introjetado.

Nesse processo de representação na ausência do modelo inicia, embrionariamente, o movimento de *re-criação* do modelo. Pois o educando começa a se dar conta do que é seu e do que é do modelo. Momento de diferenciação, individuação, separação e, possivelmente, rebeldia, afirmação pelo não de sua identidade.

Momento de expressão do imitado, do aprendido, do "dizer" com as próprias palavras. O educando limita a imagem idealizada do modelo, que pode estar permeada por um sentimento de decepção (o modelo não era o que eu pensei, esperei, o grupo não oferece tudo, tenho que buscar fora) e começa a selecionar o que lhe interessa estudar, aprofundar. No processo de reflexão, encontra-se no movimento do "sujeito-escritor".

No processo de socialização e construção o grupo não depende no mesmo nível da mediação do educador para interagir com o outro.

Modelo	Imitação
• parâmetro de representação; • queda do mito (do educador e do seu próprio); constata que comete erros; • movimento de desilusionamento, decepção; • movimento de frustração, raiva, decepção na relação com o modelo, consigo próprio; • movimento de separação, rebeldia, "afirmação pelo não", individualização, diferenciação; • crítica exacerbada, o modelo "não sabe nada".	• emite, expressa o imitado tece representações sobre o "aprendido". • expressa o próprio pensamento confrontando-se com o do modelo.

3 - Terceiro movimento: re-criação crítica do modelo

Dentro de sua prática, é capaz de produzir uma forma de ação original, própria, dos conteúdos que até agora vinham sendo imitados e representados. Consegue *re-criar* e criticar o modelo, na medida em que percebe que para aprender não é mais necessário imitá-lo.

O modelo transforma-se, nesse movimento, em parâmetro de inspiração. Pode (agora) omitir o modelo, pois dele não mais depende como parâmetro de imitação e sim de inspiração. Conquista, no processo de reflexão, sua autoria, enquanto sujeito construtor de conhecimento-pensamento.

Toma consciência do grau de influência, no processo vivido na sua relação com o modelo e no seu processo de imitação com o mesmo. O mito humaniza-se no processo de construção do grupo. Assume o acompanhamento do processo de imitação de seus educandos.

Modelo	Imitação
• parâmetro de recriação; • humanização do mito; erra para aprender; • movimento de incorporação das duas capacidades, envolvimento de transformação da realidade; • movimento de incorporação, sentimentos de amor e ódio na relação com o modelo; • apropriação da identidade diferenciada; • crítica produtiva, o modelo "sabe alguns conteúdos" mas não conhece outros.	• omite o modelo, pois não depende mais da imitação e sim da recriação para aprender; • produz pensamento original, inspirado no modelo.

Se eu pudesse queimar
as lembranças do passado
a fogueira fabricaria
chamas das alturas de
alguns edifícios que
arranham o céu...

Os bombeiros não conseguiriam
apagá-las,
queimariam e queimariam
tempos sem fim e
a criança perguntaria:
— por que aquele fogo
não se apaga?
A mãe responderia:
— porque as chamas e
as cinzas do passado
estão sempre presentes
em nossas vidas.

O velho e o novo no processo de aprendizagem

Uma descoberta que gera muita angústia, muito medo, raiva, frustração e ansiedade é perceber-se incompetente diante do novo, do não saber. Contudo, ela é uma descoberta essencial no processo de aprendizagem e construção do conhecimento, ela é motor que aciona em nós a busca do conhecer, aprender.

Mas é preciso vivê-la com paciência. Não quero dizer com isso que se abafe a ansiedade, a raiva, o medo. Mas que se entenda que a ansiedade e o medo fazem parte – tem seu lado sadio – nesse processo. Pois toda ação de aprender, conhecer, tem como ingrediente básico o mal-estar, a ansiedade. Mas é necessário educá-las.

Vivê-las compulsivamente, afobadamente, não produz conhecimento, nem para os outros, nem para nós. Simplesmente nos sufoca.

A causa dessa ansiedade é o choque entre o velho e o novo dentro de nós, que existe sempre e que nos impulsiona a crescer. Sem o velho não se constrói o novo. Jogar fora o velho, para ficar só com o novo, não é assumir o novo, é tentar resolver falsamente essa ansiedade. É fugir do processo de construção da mudança para apropriação do novo. Pois assumir o novo é assumir o novo significado, construindo, estruturando, uma opção onde um dia poderei constatar por que o velho não mais me instrumentaliza. Poderei romper assim com este e optar pela busca da construção do novo.

Fazem parte desse processo questões como:

O que do velho não quero mais?
O que não mais me instrumentaliza?
O que ainda quero?
O que ainda me instrumentaliza?
O que percebo que estou "desfazendo" de hipóteses anteriores e construindo de uma nova hipótese?

O resto está em nós, na nossa capacidade de enfrentar nosso medo, de ousar, construindo nossa coragem de transformar, de criar o novo.

Para educar a paciência, nas muitas situações que a prática nos coloca, é necessário lidar com limites. Limites do outro, os nossos e os da realidade.

Lidar com limites envolve trabalhar frustrações, perdas e raiva. Significa aprender a lidar com o desprazer, o sofrimento que o confronto com a realidade, com o outro, conosco mesmo, nos provoca.

Educamos a paciência na impaciência. A impaciência ou a apatia são tipos de respostas ao desprazer provocado pelo choque com o limite da realidade e com os nossos próprios. Revelam aspectos da nossa capacidade ainda pouco exercitados no lidar com esses limites.

Ter paciência significa buscar, permanentemente, reconhecer, perceber, admitir esses limites para, sintonizando com eles produzir respostas, encaminhamentos adequados às situações na nossa prática.

O sintoma de que estamos construindo encaminhamentos, respostas adequadas, é quando diante da realidade não permanecemos paralisados, imobilizados ou "apagando fogo", como "bombeiro" acelerado. Quando não caímos na armadilha da impotência ou da onipotência.

S ER EDUCADOR

Nas situações de impotência, somos engolidos pelos limites, ficamos imobilizados na nossa ação. Na onipotência temos uma visão exacerbada, toda poderosa, de nossas capacidades, provocando um agir cego, acelerado, compulsivo, que engole o outro e que resulta, às avessas na imobilidade, paralisia da capacidade de se ver nos reais limites.

O desafio de todo educador é educar sua paciência.

O que posso? Quais meus limites?
Qual a minha realidade?
O que não posso nesta realidade?
O que posso já? O que vou poder daqui a algum tempo?
O que nunca poderei?
Como planejar essa ação presente e futura?
O que limitar para armazenar energias?
Como medir a energia necessária para cada "empreitada" pedagógica?

O desafio de todo educador é educar sua paciência para:

- poder assumir com clareza que o ato pedagógico, enquanto processo histórico-social, implica conviver com a impotência-onipotência, aspectos integrantes desse mesmo sujeito;
- poder assumir com lucidez a possibilidade de não ver o produto do próprio trabalho. Mas é educando a impaciência, pacientemente, que o olho começa a aprender a ver o futuro nas marcas, nos indícios de mudança do embrião do sonho no PRESENTE!

TAMPANDO O SOL
COM A PENEIRA

Dúvidas me assolam, e me levantam do sono mal dormido.
Haverá sentido nesse fazer?
– Cadê o Sol? Onde está a peneira?
Estou tampando o Sol com a peneira? Ou pondo a peneira para ver melhor o Sol?
Haverá sentido nesse fazer? Que Sol é esse que me ilumina? E que também me cega?
Haverá sentido nesse fazer?
E cadê a peneira? Que me escuda do ofuscamento?
Haverá sentido nesse fazer?
Haverá sentido nesse fazer trabalho de formiga?
O que terá sentido?
Escondendo-me estou nesse fazer?

O termômetro são os olhos das crianças, das professoras?
– A participação dos pais?
– O caminhar pelas próprias pernas.
Ou a gralha acadêmica, oca de vida
cadáver ambulante de inveja e mesquinharia?
– Haverá sentido nesse fazer?

E por mais dúvidas e certezas que eu tenha esta é a pergunta que me mantém viva hoje, que me dá o tamanho do Sol e da peneira que tenho dentro de mim.
– Haverá sentido nesse fazer?
– Cadê o Sol?
– Cadê a peneira?
– Estou escondendo o Sol com a peneira?

SER EDUCADOR

PENSAR, APRENDER, CONHECER

O educador ensina, e enquanto ensina aprende.

O educador ensina a pensar, e enquanto ensina, sistematiza e apropria-se do seu pensar. "Pensar é o eixo da aprendizagem", como nos diz Bleger.

Aprender a pensar envolve lidar constantemente com certo grau de ansiedade. Pois sem ansiedade não se aprende, mas com muita, também não. Deste processo, faz parte da aprendizagem aprender a lidar com a própria ansiedade e a dos outros.

O desafio do educador é diagnosticar e dosar o nível de ansiedade com que o educando é capaz de lidar no seu processo de aprendizagem. Para isso, antes de tudo, o educador necessita estar consciente de sua própria ansiedade (desejos e expectativas) em relação ao processo de aprendizagem de seus educandos, suas intervenções, devoluções e encaminhamentos terão como objetivo provocar, manter ou amenizar a ansiedade existente, favorecendo o aprender. Aprender a pensar é também um aprendizado de construir opções, pois equivale a abandonar o antigo referencial, quebrando estereótipos, comportamentos cristalizados e perder a segurança do que antes parecia estabelecido e inquestionável, na busca da construção do novo, ainda não sabido. Novo que vem sempre revestido pelo medo, pelo perigoso e persecutório desconhecido.

Para pensar e aprender tem-se que admitir e aceitar, em certos momentos, que se está "perdido". Ver-se numa avalanche de dúvidas, hipóteses e ignorâncias. Pensar envolve construir hipóteses inadequadas, "erradas", e ter que refazer, ou inventar outro percurso em busca da adequada, "certa".

Para pensar e aprender tem-se que perguntar. E para perguntar é necessário existir espaço de liberdade e abertura para o prazer e sofrimento inerentes a todo processo de construção do conhecimento.

A pergunta é um dos sintomas do saber. Só pergunta quem tem consciência do que sabe e quer aprender. Ninguém pergunta no vazio. Pergunta porque constata que, do que sabe, algo não sabe e só a pergunta desvelará o caminho possível de ser seguido.

O que não se sabe, quem sabe é o outro. O outro que, de um outro lugar, aponta retrata e alimenta o que nos falta. Toda pergunta revela o nível da hipótese em que se encontra o pensamento e a construção do novo conhecimento. Revela também a intensidade da chama do desejo, da curiosidade de vida.

Para perguntar, pesquisar, conhecer, é necessário aprender a conviver com:

- a curiosidade;
- o deparar-se com o inusitado;
- a capacidade de assombrar-se;
- o enfrentar-se com o caos criador;
- a ansiedade e o medo no encontro com o novo.

Para tanto, temos que educar a flexibilidade e a imaginação, para trabalhar a organização e o planejamento, que são ingredientes básicos da disciplina, sem a qual não se constrói conhecimento.

Não existiria conhecimento sem a pergunta. A pergunta não teria sentido se não houvesse o conhecimento a ser conquistado, produzido.

Ansiedades, confusões e insegurança são constitutivas do processo de pensar e aprender. Assim como também o imaginar, o fantasiar e o sonhar. Não existe pensamento criador sem esses ingredientes.

O educador ensina a pensar. Mas somente pensar não basta. Educador ensina a pensar e a agir, segundo o que se pensa, enquanto se faz.

O sujeito é uma totalidade de ação e pensamento. Afetividade e cognição. Prática e teoria. Por tudo isso, pensar não é fácil, nem inofensivo. Em muitas situações subverte a ordem, tira o sono, quebra o estabelecido. Dá e provoca muito medo. Medo da desorganização de idéias, do emaranhamento do velho com o novo, da procura aparentemente desordenada da nova forma. Medo do caos criador.

Mas não existe processo de autonomia (libertação) sem criação e apropriação do pensamento, dos desejos e dos sonhos de vida. É através da reflexão (no desenvolvimento de suas hipóteses) que o educando se apropria do seu pensamento, no contato com o pensamento dos outros – iguais e teóricos.

Para pensar, conhecer um objeto é necessário recriá-lo, reinventá-lo. Nesse processo ocorrem mudanças não somente no objeto mas também no sujeito que atua.

O processo de aprendizagem é constituído por esses movimentos de mudanças. Aprender significa mudar, transformar. Ensinar significa acompanhar e instrumentalizar com intervenções, devoluções e encaminhamentos esse processo de mudança, de apropriação do pensamento, dos desejos e sonhos de vida. Educador ensina, enquanto ensina aprende a pensar (melhor) e a construir seus sonhos de vida.

INGREDIENTES DO ENSINAR

O que é intervir?

O que é encaminhar?

O que é devolver?

Toda ação educativa tem o germe da intervenção, do encaminhamento, da devolução; pois esses são constitutivos do ato de aprender e ensinar.

O que varia é como cada concepção de educação concebe o que é ensinar, o que é aprender, o que é conhecer e, portanto, qual o exercício da intervenção, do encaminhamento e da devolução.

Para uma concepção que busca uma relação democrática, o ato de intervir fundamenta, prepara, aquece, instiga, provoca, impulsiona o processo de aprendizagem e a construção do conhecimento. Através do planejamento de suas intervenções, suas *perguntas* ao grupo, o educador lança questionamentos que instigam a todos o pensar, o refletir, duvidar sobre o que sabem e assim, com o mal-estar provocado (do choque entre o velho e o novo), possam iniciar a construção do que ainda não conhecem.

Tanto educador como educando fazem, exercitam, cada um em sua função, intervenções, encaminhamentos e devoluções. Para construir a aula, juntamente com o educador, o educando necessita exercitar suas intervenções, propor encaminhamentos e fazer devoluções tanto para seus pares quanto para o educador.

Na construção de suas *intervenções*, o educador necessita ter claro qual é o seu foco dentro do conteúdo que vai priorizar no seu ensinar. A delimitação do conteúdo também possibilita objetivar o foco das intervenções. São as intervenções que sedimentam o aprendizado de perguntar, questionar, que leva o aluno a pensar – alicerce da aprendizagem significativa e construção do novo. Portanto, o primeiro movimento do ensinar, na construção da aula, está centrado no planejamento das hipóteses de intervenções por parte do educador. É neste exercício que ele vai estruturando seu aprendizado de aprender a perguntar. São as intervenções que vão alicerçando o "desembrulhar" do objeto em estudo, do conteúdo. Elas possibilitam que cada um socialize suas dúvidas, seus saberes para desse modo poder constatar tanto o que já sabe como, principalmente, o que ainda não conhece.

Ser educador

O foco do desafio do educador no seu ensinar, encontra-se, justamente, nesta segunda constatação. Para isso deve construir seus *encaminhamentos*, que constitui o segundo movimento na construção da aula. Os encaminhamentos são as propostas de atividades dentro da rotina da aula, as tarefas, os passos a seguir em determinada atividade, a mudança da pauta que exigiu um novo encaminhamento. É por meio de seus encaminhamentos que o educador direciona, organiza, delimita o *caminho* do pensar sobre o conteúdo em estudo. Os encaminhamentos oferecem espaço a interação do sujeito com o objeto do conhecimento. Objeto agora "desembrulhado", em que o desafio é estudá-lo, na intimidade individual e/ou coletiva das atividades, para transformá-lo em conteúdo funcional na prática de cada um.

São as intervenções e os encaminhamentos que vão construindo os movimentos de *devolução*. A devolução apazigua o mal-estar, o confronto com o não sei por que sistematiza organizadamente as informações que o grupo necessita, oferece esclarecimento teórico para a compreensão do que vinha sendo trabalhado desde as primeiras intervenções. Pois, quando o educador começa a fazer suas intervenções, ele deve ter claro onde quer chegar em sua devolução. De certa forma, portanto, a devolução é o clímax, o coroamento do que o educador trabalha para atingir no seu ensinar. Ele ensina para fazer devoluções e ao mesmo tempo porque luta por isso, tem que construí-las mediado por suas intervenções e encaminhamentos. Dessa maneira, cada um desses ingredientes, dependem um do outro e são construídos na dialogicidade do processo. Logo após a conquista de determinado conteúdo aprendido, o educador já vislumbra nossas intervenções que, outra vez, deflagrarão novas inquietações na busca do que constatam que ainda faltam conhecer. E a espiral não tem fim...

Vale salientar que esses três ingredientes podem ser exercitados em diferentes linguagens: verbal, plástica, gestual, musical. Em todas elas *o pensar sobre* pode ser exercitado. Ele não se dá somente na linguagem verbal. Contudo, a linguagem verbal tem seu papel fundamental na socialização do pensamento, apoiando as linguagens não-verbais.

Temos, também, no nível da intervenção e do encaminhamento a possibilidade de utilizarmos materiais diversificados. Podemos criar espacialmente, onde, pela arrumação do espaço, questionamos determinada concepção de educação, sua postura pedagógica. Provocamos o pensar sobre, a partir da leitura de uma intervenção espacial. A socialização do lido é que se apoiará na linguagem verbal.

Também podemos construir encaminhamentos que trabalham conjuntamente materiais e espaço. Quando propomos uma tarefa onde o desafio é desenhar com lápis, de olhos fechados, a imagem vista, em folhas de tamanhos variados, trabalhamos estes dois focos ao mesmo tempo. Ou ainda: a reflexão sobre o tema em estudo poderá ser trabalhada em material plástico ou tridimensional, mas em uma ou em outra, o espaço trabalhado deverá ter proporções minúsculas etc.

Devoluções estéticas (obras de arte) enriquecem e possibilitam a ampliação de pensamento, pois esses três ingredientes – intervenção, encaminhamento e devolução – são indicotomizáveis. O sujeito é uma totalidade no exercício de comunicação utilizando-se de várias linguagens, em que esses ingredientes no seu ensinar *re-intercruzam* no movimento dialógico de construção do processo e conquista do produto.

Não há ação educativa que prescinda deles, pelo simples fato de que toda ação educativa é diretiva. Direciona-se para a conquista de um determinado produto de aprendizagem, pois todo educador ensina e enquanto ensina aprende a fazer suas intervenções, encaminhamentos e devoluções.

O SENTIDO INEQUÍVOCO DO ENSINAR

Toda ação educativa traz a marca da intervenção.

Para uma concepção que busca uma relação democrática, o ato de intervir aquece, fundamenta, promove e impulsiona o processo de aprendizagem e a construção do conhecimento.

O ato de planejar instrumentaliza o aprendizado da previsão sobre os desafios a propor. O planejamento nasce da avaliação. Somente por meio de um planejamento rigoroso pode-se organizar e delimitar uma intervenção adequada.

É através das intervenções, tecidas no ato de planejar, que se promove o desequilíbrio da hipótese do educando.

O desafio de todo educador é conhecer o que planeja e para quem o faz – conhecer o conteúdo da matéria e o conteúdo dos sujeitos da aprendizagem. Este é o seu estudo!

Na construção de suas intervenções o educador necessita ter claro o seu foco, que conceito prioriza ensinar e por meio de quais conteúdos pode atingir o seu objetivo.

São as intervenções que provocam o aluno a pensar, sendo este movimento o alicerce de novas aprendizagens.

Na construção da aula, a primeira ação do educador deverá voltar-se ao planejamento das suas hipóteses de intervenção. É neste exercício que o educador estará estruturando o seu aprendizado de aprender a interpretar suas observações, a pensar e a perguntar.

Não há ação educativa que prescinda da intervenção, como não há nenhuma que prescinda de planejamento.

Toda ação educativa é diretiva. Direciona-se para a conquista de um determinado produto de aprendizagem.

MADALENA FREIRE

Sobre organização

O ato de organizar é, em si, CRIAÇÃO, ESTRUTURAÇÃO, *RE-INVEN-ÇÃO*, TRANSFORMAÇÃO do espaço no espaço, do tempo no tempo, dos materiais, das atividades, da rotina que sempre se *re-estrutura*.

Para organizar um espaço num tempo determinado é preciso "ler" as "necessidades" daquele espaço: suas características, seu "jeitão", sua forma. Para que assim possamos recriá-lo com a nossa marca, nosso jeito, nosso ritmo, nossa história, pois cada espaço "fala" da história de cada um, de cada grupo.

Contudo, pode haver desvios nessa busca de organização.

Uma organização que não parte da ação criadora dos sujeitos (educando-educador), que não lê o espaço e sua adequação aos novos desafios de cada grupo, que não parte das necessidades de cada grupo dentro de cada tempo determinado, que copia ou dita modelos de organização (ou atividades) para todos os grupos burocratizou-se – está morta. Pois, centralizou-se (para poder controlar melhor) num único modelo – massificador – que é decretado como necessidade para todos os grupos.

Todas as salas têm a mesma disposição das carteiras e da mesa do professor, mas cada professor é sujeito, juntamente com as crianças da sua *organização* (espacial e de atividades) *transformadora*, pois só eles sabem como deixar a marca naquele espaço, dentro daquele tempo, das *suas vidas*.

E o que é educar senão *deixar-se* FICAR (no espaço e no tempo) nos outros?

MOMENTOS

Há momentos em que
a vida é
teia frágil e fina
como os fios trabalhados no tear.

Há momentos em que
os laços com a vida
são tênues, diluídos
como as cores esmaecidas.

Há momentos em que
o vínculo vital,
meu trabalho, minhas alunas
minhas quatro filhas queridas,
é o que me enlaça, me amarra à vida.

Há momentos
de luminosidade, brilho
prazer e alegria.

Há momentos
de neblina, escuridão
tristeza e dor.

Há momentos
e de momentos
é onde construímos o real:
ilusão, sonho, desilusão, decepção, sonho, ilusão...
na vida.

Há momentos
e de momentos
é feita a vida
onde
viver,
continuar vivo
é recolher tudo, catar os próprios cacos para
re-compor, re-fazer, re-inventar
a vida
da maneira mais suportável, real
possível de *ser sempre vivida.*

GRUPO

ENTRE AS TRIBOS NÔMADES DO DESERTO

1985 – UMA DAS APROXIMADAS 80 CLASSES DE POVOS NÔMADES DO DESERTO DO QUÊNIA QUE SEGUEM O MÉTODO DE PAULO FREIRE

Arquivo de fotos do Instituto Paulo Freire

Eu não sou você
Você não é eu

Eu não sou você
Você não e eu.

Mas sei muito de mim
Vivendo com você.
E você, sabe muito de você vivendo comigo?

Eu não sou você
Você não é eu.

Mas encontrei comigo e me vi
Enquanto olhava pra você

Na sua, minha, insegurança
Na sua, minha, desconfiança
Na sua, minha, competição
Na sua, minha, birra infantil
Na sua, minha, omissão
Na sua, minha, firmeza
Na sua, minha, impaciência
Na sua, minha, prepotência
Na sua, minha, fragilidade doce
Na sua, minha, mudez aterrorizada.

E você, se encontrou e se viu, enquanto
Olhava pra mim?

Eu não sou você
Você não é eu.

Mas foi vivendo minha solidão
Que conversei com você.
E você, conversou comigo na sua solidão
Ou fugiu dela, de mim e de você?

Eu não sou você
Você não é eu.

Mas sou mais eu, quando consigo
Lhe ver, porque você me reflete
No que eu ainda sou
No que já sou e
No que quero vir a ser...

Eu não sou você
Você não é eu.

Mas somos um grupo, enquanto
Somos capazes de, diferenciadamente,
Eu ser eu, vivendo com você e
Você ser você, vivendo comigo.

O que é um grupo

Prelúdios do grupo

Segundo Pichon-Rivière, pode-se falar em grupo quando um conjunto de pessoas movido por necessidades semelhantes se reúne em torno de uma tarefa específica.

No cumprimento de desenvolvimento das tarefas deixam de ser um amontoado de indivíduos para cada um assumir-se como participante de um grupo com um objetivo mútuo.

Isto significa, também, que cada participante exercitou sua fala, sua opinião, seu silêncio, defendendo seus pontos de vista. Portanto, descobrindo que, mesmo tendo um objetivo mútuo, cada participante é diferente. Tem sua identidade.

Nesse exercício de diferenciação – construindo sua identidade – cada indivíduo vai introjetando o outro dentro de si. Isso significa que cada pessoa, quando longe da presença do outro, pode "chamá-lo" em pensamento, a cada um deles e a todos em conjunto. Este fato assinala o início da construção do grupo enquanto comportamento de indivíduos diferenciados. O que Pichon-Rivière denomina de "grupo interno".

A constituição do sujeito no grupo

A identidade do sujeito é um produto das relações com os outros. Nesse sentido, todo indivíduo está povoado de outros grupos internos da sua história.

Assim como também povoado de pessoas que o acompanham na sua solidão, em momentos de dúvidas e conflito, dor e prazer. Desta maneira, estamos sempre acompanhados por um grupo de pessoas que vivem conosco, permanentemente.

Em termos gerais, a influência desse grupo interno permanece inconsciente. Algumas vezes só no esquecimento (pré-consciente) e não nos damos conta de que estamos repetindo, reproduzindo estilos, papéis, que têm que vir com vínculos arcaicos, onde outros personagens jogam por nós.

Todos estes integrantes do nosso mundo interno estão presentes no momento de qualquer ação, na realização de uma tarefa. Por isso, nosso ser individual nada mais é que um reflexo, onde a imagem de um espelho que nos devolvem é a de um "eu" que aparenta unicidade, mas que está composto por inumeráveis marcas da falas, presenças de modelo dos outros.

Há dois tipos de grupos: primário e secundário.

A família é um grupo primário. Durante nossa infância, em nosso grupo primário, tivemos um espaço que ocupamos como o único papel possível. Se examinarmos nosso grupo familiar, observaremos como cada irmão tem seu papel dentro do grupo, e como nós também desempenhamos o nosso. Há o que sempre agüenta as situações difíceis; outro que se deixa levar por reações emocionais; outro que ajuda a conter o ódio; outro que faz a mediação; outro que está sempre em divergência; outro que prefere fazer que está ausente, que nada lhe diz respeito; outro que assume o denunciar permanentemente. Estes papéis se mantêm ao longo da vida. Quando não suficientemente pensados e elaborados, cristalizam-se, assumindo uma forma estereotipada, em que a repetição mecânica do mesmo papel acontece.

Secundários são os grupos de trabalho, estudo, instituições etc. Em todos eles, encontramos um lugar, um papel, uma forma de estar, que, por sua vez, constitui nossa maneira de ser. Nesse espaço, desempenhamos nosso papel, segundo nossa história e as marcas que trazemos conosco.

Segundo Pichon-Rivière, a estrutura dos grupos se compõe pela dinâmica dos 3Ds. O depositado, o depositário e o depositante.

O depositado é algo que o grupo, ou um indivíduo, não pode assumir no seu conjunto e o coloca em alguém, que, por suas características, permite e aceita.

Esses, que recebem nossos depósitos, são nossos depositários; nós que nos desembaraçamos desses conteúdos, colocando-os fora de nós, somos os depositantes.

Podemos observar em qualquer grupo (secundário) de adultos como se distribuem esses papéis e tarefas implícitas. Há os que se encarregam, sempre, de romper os silêncios embaraçosos; os que com uma piada ou uma saída criativa desfazem uma tensão; os que sempre estão contra ou se fazem de "advogado do diabo"; os que se encarregam de carregar as culpas e, mesmo reclamando, aceitam o depósito de "bode expiatório"; os que chegam sistematicamente atrasados; os que interrompem para sair; os que sempre discordam de algo, nunca estão de acordo; ou aqueles a quem tudo lhes parece ótimo e se encarregam das tarefas de que os demais se omitem.

O movimento de depósito começa na família, considerada o grupo primário, com o projeto inconsciente dos pais. Estes marcam um lugar para cada um de seus filhos, segundo as necessidades que imaginariamente pretendem preencher com aquele que chega. Desse modo, o filho ou a filha já ocupará um lugar preestabelecido e adquirirá um papel determinado ligando a expectativa recebida à escolha singular de cada um, movida por seu desejo. A ansiedade gerada pelas relações familiares não pode ser assumida em conjunto, pois ela é vivenciada de maneiras bem diferentes por cada um de seus membros, pois cada um tem um jeito de entender e reagir às cenas familiares. Quando, por exemplo, um membro assume os aspectos mais sombrios da relação familiar, de certa forma libera os outros de tal vivência, pois pegou-a para si, assumindo como seus, aspectos que dizem respeito a todos do grupo, pois foram produzidos nas relações nas quais todos estão implicados.

A debilidade familiar (os medos, as doenças, a agressividade) é projetada (depositada) num de seus membros, que assume o papel de ser "o doente" ou o "frágil" a quem todos têm que cuidar, vigiar de perto. Dessa maneira, a família controla sua ansiedade, distribuindo-a. Diante deste "membro doente" os demais se sentirão forçosamente sadios e fortes.

Outro exemplo bem característico pode ser visto no que se refere à agressividade. Um membro do grupo familiar "torna-se" agressivo, ou seja, é-lhe dado (e ele também aceita) esse lugar da violência, daquele que sempre se irrita primeiro, daquele que se incomoda com tudo. Desse modo, o grupo vai depositando nele sua agressividade. A partir daí, o grupo identifica-se, inconscientemente, com ele nessa emoção de raiva e passa a crer-se livre dela, colocando-se, ao contrário, na posição e no papel do não-violento. Aquele que recebeu tal depósito passa a ser o "brigão", o "reclamão" da família, e os outros assumem o status de quem, generosamente, o suporta.

Através do mecanismo de projeção nos livramos de aspectos nossos que nos desagradam, pois não admitimos que também fazem parte de nós. Se estivermos com medo, em lugar de admitir, reconhecermos NOSSO medo, dizemos: "Tu me dás medo" ou "Tua proposta é atemorizante". Caso esta afirmação coincida (se encontre) com um sujeito a quem sempre é dado esse papel (atemorizante), nosso mecanismo projetivo se verá inteiramente satisfeito. O depositário recebeu e se encarregará de "viver" meu medo. Meu medo não estará mais no meu interior, e será produto, culpa daquele que me atemoriza. Poderei distanciar-me do meu medo, na medida em que me separe dessa pessoa que se encarregou deste papel "atemorizante".

Em conclusão, podemos dizer que cada participante constrói, na parceria com o outro, seu jeito de viver no grupo.

Cada um pode aceitar ou negar o que os outros lhe adjudicam. Nesta parceria, ninguém está "livre", "limpo" ou "neutro", todos estão implicados, todos têm sua parcela de construção, das mais variadas formas, de seu papel e do outro. Opondo-se, aceitando omissamente sem dizer o que pensa, no que diverge, silenciando.

São cinco os papéis, segundo minha leitura da obra de Pichon-Rivière, que se constituem em qualquer grupo, seja de crianças, adolescentes ou de adultos: Líder de mudança, Líder de resistência, Bode expiatório, Representante do silêncio, Porta-voz.

O *líder de mudança* é aquele que se encarrega de levar adiante as tarefas, enfrentando conflitos, buscando soluções, arriscando-se sempre diante do novo. O contrário dele é o *líder de resistência*. Este, sempre "puxa" o grupo para trás, freia avanços; depois de uma intensa discussão ele coloca uma pergunta que remete o grupo ao início do que foi discutido. Sabota as tarefas (levantando sempre as melhores intenções de desenvolvê-las), poucas vezes as cumpre, assume sempre o papel de "advogado do diabo".

Contudo, o líder de mudança e o líder de resistência não podem existir um sem o outro. Os dois são necessários para o equilíbrio do grupo, segundo a visão de uma relação democrática, pois na relação autoritária e na espontaneísta os encaminhamentos poderão ser outros. Para cada maior acelerada do líder de mudança, maior freio, brecada, do líder de resistência. Isso porque, muitas vezes, o líder de mudança radicaliza suas percepções, encaminhamentos, na direção dos ideais do grupo, descuidando do princípio de realidade. Neste momento, o líder de resistência traz para o grupo uma excessiva crítica (princípio de realidade exacerbado), provocando uma *des-idealização* (desilusionamento), produzindo assim um contrapeso às propostas do outro.

O *bode expiatório* é quem assume as culpas do grupo. Serve de depositário desses conteúdos, livrando o grupo do que lhe provoca mal-estar, medo, ansiedade etc.

Os *silenciosos* são aqueles que assumem as dificuldades dos demais para estabelecer comunicação, fazendo com que o resto do grupo se sinta obrigado a falar. Num grupo falante, se "queima" quem menos pode sobreviver ao silêncio. Aqueles que calam, representam essa parte nossa que desejaria calar, mas não pode.

Em algumas situações, os silenciosos suscitam críticas por parte de elementos do grupo, porque estes se permitem o ocultamento. Ocultamento que poderá ser aparente, pois o uso da palavra pode, também, ocultar um enorme silêncio... Em outras situações, este ocultamento é real e seu produto é a omissão.

No trabalho da coordenação, sua facilidade ou dificuldade em coordenar os silenciosos dependerá de seu grau de escuta do silêncio do outro e do seu próprio.

É necessário um exercício apurado de observação e leitura sobre o que os silenciosos falam... para poder possibilitar, assim, a ruptura do papel de "ocultamento", de omissão. A coordenação deverá estar atenta para não permitir uma relação hostil que obriga os silenciosos a falarem, pois, desse modo, não estará respeitando sua "fala". Mas, também, não pode cair na armadilha da marginalização: "eles nunca falam mesmo...", o que favorece a omissão.

O *porta-voz* é quem se responsabiliza por ser a "chaminé" por onde emergem as ansiedades do grupo. Através da sensibilidade apurada do porta-voz, ele consegue expressar, verbalizar, dar forma aos sentimentos, conflitos que, muitas vezes, estão latentes no discurso do grupo. O porta-voz é como uma antena que capta de longe o que está por vir.

Em muitas situações, o porta-voz pode coincidir com uma das expressões de liderança. Para detectar se realmente está desenvolvendo o papel de porta-voz de um conteúdo do grupo é necessário observar como o conteúdo expressado chega, que ressonâncias provoca no grupo. Caso não provoque nenhuma sintonia com o grupo, não será uma intervenção emergente do grupo (movimento de horizontalidade), mas sim, um produto de sua história pessoal (movimento de verticalidade).

No trabalho da coordenação, perceber, diagnosticar essa situação, faz parte de um longo aprendizado. Para isso, a coordenação terá de fazer, num primeiro movimento da construção do grupo, um trabalho de observação minuciosa para diagnosticar os papéis, os conteúdos das projeções que estão sendo transferidas para o grupo, seus participantes e a coordenação.

Essa projeção maciça do primeiro movimento só será superada, se a coordenação possibilitar:

- a limpeza dessas projeções;
- a mobilidade transferencial com a coordenação e entre iguais;
- a não fixação da estereotipia, o rompimento dos papéis cristalizados;
- o "rodar", a promoção de oportunidades, nas quais todos possam viver diferentes papéis .

Grupo é essa trama, na qual jogamos com papéis precisos, às vezes, estereotipados, outras, inabaláveis. Grupo não é, pois, um amontoado de indivíduos, é mais complexo que isso.

Grupo é o resultado da dialética entre a história do grupo (movimento horizontal) e a história dos indivíduos com seus mundos internos, suas projeções e transferências (movimento vertical), no suceder da história da sociedade em que estão inseridos.

Grupo é:

A cada encontro: imprevisível.

A cada interrupção da rotina: algo inusitado.

A cada elemento novo: surpresas.

SER EDUCADOR

A cada elemento já parecidamente conhecido: aspectos desconhecidos.

A cada encontro: um novo desafio, mesmo que supostamente já vivido.

A cada tempo: novo parto novo, compromisso, fazendo história.

A cada conflito: rompimento do estabelecido para a construção da mudança.

A cada emoção: faceta insuspeitável.

A cada encontro: descobrimentos de terras ainda não desbravadas.

A construção do grupo

Um grupo se constrói através da constância da presença de seus elementos, na constância da rotina e de suas atividades.

Um grupo se constrói na organização sistematizada de encaminhamentos, intervenções por parte do educador, para a sistematização do conteúdo em estudo.

Um grupo se constrói no espaço heterogêneo das diferenças entre cada participante: da timidez de um, do afobamento do outro; da serenidade de um, da explosão do outro; do pânico velado de um, da sensatez do outro; da seriedade desconfiada de um, da ousadia do risco do outro; da mudez de um, da tagarelice de outro; do riso fechado de um, da gargalhada debochada do outro; dos olhos miúdos de um, dos olhos esbugalhados do outro; de lividez do rosto de um, do encarnado do rosto do outro.

Um grupo se constrói enfrentando o medo que o diferente, o novo, provoca, educando o risco de ousar e o medo de causar rupturas.

Um grupo se constrói não na água estagnada que é o abafamento das explosões, dos conflitos.

Um grupo se constrói, criando o vínculo com a autoridade e entre iguais.

Um grupo se constrói na cumplicidade do riso, da raiva, do choro, do medo, do ódio, da felicidade e do prazer.

A vida de um grupo tem vários sabores... No processo de construção de um grupo, o educador conta com vários instrumentos que favorecem a interação entre seus elementos e a construção do círculo com ele.

A comida é um deles. É comendo junto que os afetos são simbolizados, expressos, representados e socializados, pois, comer junto, também é uma forma de conhecer o outro e a si próprio.

A comida é uma atividade altamente socializadora num grupo, porque permite a vivência de um ritual de ofertas. Exercício de generosidade. Espaço onde cada um recebe e oferece ao outro o seu gosto, seu cheiro, sua textura, seu sabor.

Momento de cuidados, atenção.

O embelezamento da travessa em que vai o pão, a "forma de coração" do bolo, a renda bordada no prato... Frio ou quente?

Que perfume falará de minhas emoções? Será doce ou salgado?

Todos esses aspectos compõem o ritual do comer junto, que é um dos ingredientes facilitadores da construção do grupo.

Um grupo se constrói com a ação exigente, rigorosa do educador. Jamais com a cumplicidade autocomplacente, com o descompromisso do educando.

Um grupo se constrói no trabalho árduo de reflexão de cada participante e do educador.

No exercício disciplinado de instrumentos metodológicos educa-se o prazer de se estar vivendo, conhecendo, sonhando, brigando, gostando, comendo, bebendo, imaginando, criando; e aprendendo juntos, num grupo.

Ser educador

FUI ATINGIDA:
CENAS DE UM EDUCADOR HUMANO[1]

Fui atingida no peito
Nas costas e na barriga.
Fui atingida.
Fui atingida no ouvido
Num dos olhos e nas mãos.
Fui seriamente atingida.
Atingida por estilhaços de bala,
Uma bala perdida.
Perdida de inveja de competição.
De exibicionismo, de ciúme entre irmãos,
Na disputa por uma mãe...
Que foi seriamente atingida.
Bala perdida, quem faz o caminho, o percurso?
Por que eu a atingida?
Que armadilha me fiz, me fizeram
Que empréstimo é este onde termino por ser atingida?
A quem buscava, essa bala perdida?
Por que eu a escolhida?
Por que eu a atingida?

---

[1] Esse texto vem apresentar um de meus dilemas transferenciais vividos num grupo de formação que eu acompanhava. A ênfase dada ao educador humano foi exatamente para que os alunos percebessem o aspecto falível, humano, da educadora.

CHEGA! CANSEI!

Não quero mais!

Não quero mais essa vida de educa-dor...

Dói! Como dói...

Cansei de dor...

Quero agora só o educa...

educa-facilidades...

educa-alegria...

educa só o bom, o gostoso...

educa-mãe só pra mim...e

nunca jamais educa outros!

Não quero mais

Cansei.

Cansei de crise, de conflitos de hipóteses,

Cansei de retratar, de provocar, segurar, encaminhar,

Cansei de afirmar, negar, questionar, festejar...

Cansei.

É chegada a hora da educadora humana, de carne e osso,

Entrar em cena e dizer:

Não sou Deus

Não sou mãezona, apenas a reapresento, por empréstimo de amor.

Não tenho o remédio, nem o veneno para a morte, nem a salvação da cura.

Nem receita venenosa de endeusamento

Contra a indisciplina, preguiça, autoritarismo, espontaneísmo, bomberismo etc.

Quem pode matar estes ingredientes dentro de cada uma, é somente e tão-somente cada uma!

Não há veneno externo ao sujeito, que possa salvá-lo.

Somente ele pode produzir, enfrentando seu próprio veneno, o antídoto necessário.

SER EDUCADOR

Colocar na outra a própria agressão raivosa, diante de seus limites, dificuldades e conflitos trará, milagrosamente, a cura a transformação?

Cansei.
Sou humana, frágil, insegura, teço fantasmas também...
Sou humana como vocês... Dependendo de cuidados e zelos...
Cansei.
Que cada uma de nós pegue seu Desejo e os Reja!
Que cada uma de nós pegue sua Inveja e a Administre
Que cada uma de nós pegue sua Competição e a Domine
Que cada uma de nós pegue seu Narcisismo ferido e o Medique!
Que cada uma de nós pegue seu Ciúme e o Vença!
Que cada uma de nós pegue sua Agressividade velada e a Exercite!
Revelar-se também como pessoa frágil, humana que se pensa dentro da vida e dos movimentos do grupo, faz parte do exercício pedagógico do ensinar do educador.
Nesse movimento, o fundamental é socializar com o grupo, o pensado, o refletido, elaborado para que não se transforme em novos fantasmas.
E, antes de tudo, o educador mostra-se também humanamente. Como peça também frágil, mas crucial nesse processo de pensar a vida do grupo; pensando a própria no exercício de receber as transferências, e fazendo também suas *contra-transferências*, seu inconsciente...
Ingredientes que fazem parte, constituindo o processo de aprendizagem e construção do conhecimento.

O ESPAÇO DO GRUPO: DA SIMBIOSE À DIFERENCIAÇÃO

A construção do grupo

Na vida dos grupos, há três movimentos básicos que fazem parte de seu processo de construção: o movimento simbiótico, o movimento da diferenciação e o movimento da autorização. É importante salientar que esses movimentos não são estanques, isolados; eles se intercruzam, interligam-se, já que qualquer processo é constituído de avanços e recuos.

No primeiro movimento, o grupo é um amontoado simbiótico, onde o sonho é o da homogeneidade.

A busca está centrada nas semelhanças. Ou "somos iguais, ou não somos um grupo". Ou concordamos em tudo, ou não somos um grupo. A diferença, as divergências, muitas vezes, são vistas como atos de traição, podendo emergir em alguns grupos um movimento persecutório, pois no sonho da homogeneidade e na prática deste, o outro não é visto, já que não se assume em seu pensamento, em suas idéias e, portanto, não possibilita o confronto causado pelas divergências, diferenças. Só conhecemos o outro e a nós mesmos, no conflito das diferenças e semelhanças. Na falta deste exercício, o que aflora é o fantasma, o "falso" outro.

O medo e a ansiedade do conflito com as diferenças faz com que a relação entre o educador e o grupo seja idealizada, mitificada. Com este "mito", que tudo sabe ao seu lado, os participantes "resolvem" (por enquanto...) seus temores do desconhecido, da desestruturação, que as diferenças, as divergências e o novo provocam. Pois como diz o ditado: "Se estou perto de Deus, um pouco de Deus eu sou".

SER EDUCADOR

Na concepção autoritária e espontaneísta de educação, o educador termina por cristalizar esse primeiro movimento em que o educador é mitificado.

O autoritário, não trabalhando o enfrentamento das diferenças, das divergências, termina por decretar o único modelo válido a ser seguido, copiado, imitado.

O espontaneísta, quando não se assume como modelo, não exercita a desigualdade, a assimetria da relação educador (autoridade) e educando. Não coordenando o conflito no enfrentamento das diferenças, não oferece superação desse primeiro movimento.

A pergunta chave do educando nesse movimento é: "Onde estou?", "Com quem estou?", "Quem está comigo?". A localização espacial (sala e organização dos materiais) e todo o referencial pedagógico-metodológico: rotina, tarefas, funções e papéis de cada um no grupo são referenciais importantíssimos nesse primeiro movimento.

O desafio do educador, nesse primeiro movimento, é instigar o exercício do conflito na construção das diferenças (para construir a individualidade, a identidade) e, ao mesmo tempo, possibilitar o "desgrude" de seu modelo, até que sua mediação como mito não seja mais necessária.

Nos grupos em que os movimentos de "ataque e fuga" no processo de aprendizagem se encontram exacerbados é delicado negar o mito, pois há o risco de não oferecer o espaço, "chão" necessário para o educando se sentir apoiado, seguro, e poder confrontar-se com o novo, com a própria ignorância.

O mito, nos grupos, muitas vezes, cumpre o papel de mediador para a estrutura do conhecimento e a conquista da autonomia.

Momento delicado para o educador é saber diferenciar o que é seu e o que é projeção do aluno que o mitifica. É necessário "aceitar" este primeiro movimento de mitificação para poder construir, por meio de intervenções, a desmistificação e a humanização do educador.

Para sobreviverem, nesse primeiro movimento, grupos cristalizados e que não enfrentam os conflitos gerados pelas diferenças criam mecanismos de sonegação de informações (futricas, fofocas) de uns para os outros gerando um movimento de fracionamento do grupo em pequenos subgrupos, "patotas". Resultado disso é a infantilização das relações. Infantilização, porque pouco se exercita o confronto das divergências entre os iguais e com o modelo.

Muitos grupos abortam seu nascimento democrático nesse primeiro movimento ou sobrevivem, permanentemente, como um "embrião" prematuro.

No segundo movimento, iniciado o processo de diferenciação, a busca passa agora pelo crivo das diferenças. Afirma-se o que cada um é o que faz de diferente do outro. Afirma-se a própria identidade, discordando, opondo-se (principalmente à autoridade), num movimento de rebeldia ou de "birra". Alguns podem viver esses movimentos com tranqüilidade, outros não. É nesse sentido que a rebeldia faz parte do processo de individualização, diferenciação, autonomia.

Está implícito que a descoberta expressa pelo "eu não sou você, você não é eu", (possibilitada pela interação e conflito com o outro) desemboca na questão chave desse segundo movimento, caracterizado por perguntas como "Quem sou eu nesse grupo?", "Que grupo é esse?" e que culmina com a construção de cada um como um elemento do NÓS, do grupo. Sinal de que o grupo (seus participantes) foi introjetado.

O conflito com o outro possibilitou a descoberta ao mesmo tempo do eu (diferenciado) e do NÓS (grupo do qual se faz parte).

Grupo, agora não como aquele amontoado "igual", mitificado, sonho sem conflito... Pelo contrário, grupo em que, por meio do conflito das diferenças, cada participante se reconhece dolorosamente, descobrindo as sementes que os une na construção desse todo, do NÓS, do grupo.

SER EDUCADOR

O processo da humanização do mito chega no seu apogeu, nesse período, com a construção do que já podem enfrentar "sozinhos", não necessitando mais da relação mitificada, mas da ajuda do educador real: limitado. O mito humaniza-se.

Em alguns grupos, esse momento não é fácil para o educador. Dependendo da história que cada um traz dentro de si com as outras autoridades, esse momento envolve projeções, "choques", rupturas, juntamente com um movimento de frustração, raiva, decepção, atitudes "contra" a autoridade.

O movimento de crítica se exacerba e, em alguns casos, há uma radicalização dos sentimentos. Se antes o modelo era "adorado", agora há constatação de que é humano: comete erros, ignora alguns conteúdos , é "odiado".

Alguns dos participantes do grupo não conseguem superar essa fase, e pode acontecer que prefiram desligar-se do grupo.

Faz parte da função do educador tentar fazer devoluções para o educando, acerca do processo que vem acompanhando. Contudo, isso não significa, em todos os casos, que consiga a permanência dos membros que querem desligar-se do grupo.

O desafio é manter-se lúcido, diferenciando o que é da história do sujeito e o que ele retoma nesse presente, para poder devolver ao seu dono o que lhe pertence.

Para isso, o educador conta com um instrumental fundamental que é a sua reflexão (sobre a prática e a teoria), juntamente com a avaliação e o planejamento de sua ação cotidiana.

No terceiro movimento, que embrionariamente já se havia iniciado com a "desmitificação" do mito, no movimento anterior, a descoberta de ser um elemento constituidor do "nós" tem sua continuidade e exercício agora, mas de maneira diferente.

A afirmação passa a ser: "eu não sou você, você não é eu; nós somos um grupo enquanto eu consigo ser mais eu (diferente), vivendo com você, e você ser mais você (diferente), vivendo comigo".

Antes, o exercício do diferenciar-se produzia dor dilacerante, medo mortal... Agora, ele é administrado como ingrediente constituidor (do humano, limitado pelo real) do processo de autonomia.

Amplia-se a capacidade de ilusionamento e, ao mesmo tempo, convive-se mais realisticamente (incorporando as diferenças e os limites do outro, de si e da realidade) com o desilusionamento no processo de transformação da realidade. Aprende-se a sonhar cada vez mais perto da realidade, dominando assim as frustrações do enfrentamento da realidade sonhada, diminuindo a distância entre o que sonha, o que diz, o que faz.

O trabalho dos subgrupos tem aqui seu momento mais rico, no exercício de síntese, desenvolvimento da autonomia e na produção de pensamento do grupo.

Nesse momento, recriam-se o mito e os outros. O educando inspira-se no educador real, que sabe alguns conteúdos e desconhece outros. Oculta-se o modelo, pois não se depende mais da imitação, e sim da recriação para aprender.

O desafio é o exercício de apropriação da identidade, na produção de pensamento original do grupo.

Em todos esses movimentos, a presença do educador é indispensável. Como mediador que instiga, limita e acompanha (intervindo, encaminhando, devolvendo) os passos desse processo.

Nenhum grupo sobrevive à ausência do educador.

Todo grupo depende de uma autoridade para a construção do seu exercício democrático.

Subgrupos e interação

Na passagem do segundo movimento de reapresentação para o terceiro de recriação emerge o momento, a meu ver mais adequado, para o lançamento da proposta do trabalho de subgrupo. Nesse momento o grupo já tem mais estruturada a sua "cara", sua identidade coletiva.

Antes dessa construção, ele corre o perigo de desmembrar o grupo em "panelinhas", em vez de favorecer a construção do todo.

É com o todo delineado (o nós) que a subdivisão pode produzir aprofundamento dos conteúdos em estudo.

Nessa visão, o trabalho de subgrupo favorece a interação num espaço de maior intimidade e privacidade entre os iguais. Além do fato de possibilitar o enfrentamento de conflitos (sociais, afetivos e cognitivos) com a mediação de um outro modelo, que não o do educador.

Modelo do coordenador, que emergiu do grupo de educando

É da leitura do educador (na observação e construção de suas hipóteses sob as lideranças no grupo) que se fundamenta e lança sua proposta para o trabalho de subgrupo em relação aos componentes de cada subgrupo e aos coordenadores de cada grupo.

Se defendemos e fundamentamos que para a construção do conhecimento é necessário a presença de um educador é crucial a formalização do coordenador no subgrupo.

Se construir conhecimento envolve interação com os outros para o enfrentamento de problemas, conflitos (cognitivos, sociais e afetivos), a proposta do trabalho de subgrupo terá que levar em conta para sua composição:

Que hipóteses diferenciadas e conflitantes existem?

Que hipóteses e de quem desestabilizam? Quem?

Que papéis mesclar? (Falantes, resistentes, silenciosos)

Quem ampara, limita, norteia quem? O quê?

Dessa maneira, a composição do subgrupo e a escolha de sua coordenação não é espontânea nem natural. Não nasce somente dos desejos dos educandos. Mas sim, desses desejos expressos, lidos, refletidos e estudados pelo educador, para que possa devolvê-los de maneira direcionada numa proposta planejada, provocando e possibilitando a aprendizagem.

Portanto, esta proposta tem sempre uma direção dada, lançada pelo educador. Até quando sua decisão de encontro for pelo agrupamento espontâneo é porque ele tem esta hipótese a ser testada, avaliada. No trabalho de subgrupo, o educador tem a possibilidade de observar e constatar a circulação dos saberes entre iguais, que é diferente da forma como se dá no grupo maior, e ao mesmo tempo, observar "o jogo de professora", que revela as hipóteses (dentro do processo de formação) em que cada educando se encontra.

É nesse sentido que o trabalho de subgrupo (entre adultos) reapresenta muitas das características do jogo e da brincadeira simbólica da criança.

Na observação deste, o educador tem material rico para a formação de suas hipóteses; em que fase cada elemento se encontra em seu processo de formação de seus educandos.

Concluindo, o trabalho de subgrupo oferece:

1. espaço de maior intimidade e privacidade para imitar, copiando, reapresentando ou recriando o modelo. Nele o educador tem a possibilidade de uma observação mais distanciada das hipóteses em que cada elemento se encontra em seu processo de formação;

2. a possibilidade de que o igual se obrigue a distanciar-se para assumir o papel do coordenador e, ao mesmo tempo, constatar que também assume, num outro momento do grupo, seu papel como igual;

SER EDUCADOR

115

3. a possibilidade de os integrantes do grupo travarem interação com outro modelo, que não o do educador. Esse fato é crucial para que, no confronto com as diferenças entre modelos, a relação com os mesmos seja ampliada e, portanto, enriquecida;

4. a possibilidade da constatação que o educador não dá conta de tudo! Que os iguais apontam questões que o educador não vê, ou que a manifesta de outro modo. O educador reveste-se, assim, de humanidade limitada; sabe alguns conteúdos e desconhece outros;

5. a possibilidade de interação com os iguais, numa relação muito mais direta, clara, ao apontar os conflitos, os desafios, do que na relação com o educador, onde possivelmente teria que dar algumas ou grandes voltas para pinçar o conflito. Há um dizer do igual que tem mais peso que o dizer do educador.

Finalizando, grupo, interação, momentos do processo de socialização e trabalho de subgrupo são conteúdos que fazem parte deste novo que estamos construindo, em que a construção do conhecimento é gestada.

SOBRE ROTINA: CONSTRUÇÃO DO TEMPO NA RELAÇÃO PEDAGÓGICA

Somos sujeitos porque desejamos, pensamos, construímos conhecimento e história. "Somos geneticamente sociais", como nos diz Wallon.

Vivemos em grupo, construindo vínculos, entre iguais e com o educador, e conhecimento.

Toda prática exige uma sistematização.

Toda sistematização está contida numa disciplina de trabalho.

Toda disciplina de trabalho está alicerçada numa rotina.

Toda rotina fala dos tempos, momentos vividos, que constitui meu tempo com o outro.

Meu tempo com o outro é regido por combinados, compromissos que constituem nossa disciplina de trabalho, nossa sistematização: nossa rotina.

Essa rotina, quando está em sintonia entre educador e educando, é visceralmente mutável, flexível, viva, pois responde às necessidades dos dois, quando não, é também visceralmente parada, estática, mecânica, alienada, porque está centralizada na necessidade do educador.

Cada grupo tem seu jeito de lidar, de viver o *tempo* de que dispõe. Cada grupo tem seu *ritmo* e sua *organização no tempo* e no *espaço* em que vive. O ritmo do grupo, o jeito de viver o tempo é constituído dos ritmos de cada participante.

Ritmo constitui-se de variações. Uma rotina constitui-se de ritmos diferentes e semelhantes (semelhança não significa homogeneidade) de seus participantes. Um grupo composto de ritmos acelerados desafia o educador a adequar as atividades para, partindo desse ritmo, trabalhar a aceleração, possibilitando a conquista de um novo ritmo, onde outra atividade poderá ser lançada. Exemplo disso é: se um grupo chega agitado, sem condições de trabalhar uma atividade que exige concentração, tranqüilidade, o educador tem como desafio lançar atividades "agitadas" (corporais, por exemplo, ou atiçar uma polêmica), para que, trabalhando esse ritmo ele possa mudar, acalmar e criar condições para lançar aquela atividade que exigia concentração e tranqüilidade.

S ER EDUCADOR

O inverso também vale. Se um grupo chega quieto demais, o educador deverá, partindo deste ritmo, oferecer, trabalhando a mudança do ritmo, o nascimento de um novo ritmo, e assim possibilitar outros tipos de atividades.

Por isso, rotina aqui não é expressão do rotineiro que se arrasta tediosamente. Essa é a expressão de um ritmo pobre com muita repetição, pouca variação, homogêneo, autoritário. Rotina, aqui, é entendida como a expressão do pulsar do coração (com diferentes batidas rítmicas) vivo do grupo, como a cadência seqüenciada de atividades diferenciadas, que se desenvolvem em um ritmo próprio, em cada grupo.

A rotina estrutura o tempo (história), o espaço (geografia) e as atividades, em que os conteúdos são estudados.

A criança, para construir o conceito de tempo, percorre um longo processo. Inicialmente concebe o tempo, não como uma continuidade de acontecimentos, atividades, constituindo um todo, mas somente vê partes, não consegue articular parte/todo sincronizadamente, mediada pela rotina localiza-se no tempo, no espaço e nas atividades. É nesse sentido que a rotina é alicerce básico para que o grupo construa seus vínculos, estruture seus compromissos, cumpra suas tarefas, assuma suas responsabilidades para que a construção do conhecimento possa acontecer.

Para construir uma rotina do trabalho é preciso:

I. constância (temporal, espacial, de atividades e de participantes) e
II. articulação entre tempo, atividades e espaço.

I. Constância

1. *Constância temporal*: um horário determinado em que as reuniões, encontros, aconteçam.

2. *Constância espacial*: definição de um local onde o grupo se reúna.

3. *Constância de atividades*: condição para que os movimentos de aprendizagem, do fazer do processo criador, possam acontecer:

   (a) ruminação, "rascunho mental", esboço das idéias, do pensamento;

   (b) elaboração de um planejamento para o desenvolvimento das idéias, do pensamento no papel (ou em qualquer outro material, dependendo da linguagem utilizada);

   (c) avaliação do produto conquistado.

4. *Constância de participantes*: nem grupo, nem rotina se constituem na inconstância das presenças.

II. Articulação entre tempo (ritmos), atividades e espaço

Desafio permanente, por parte do educador, na construção da rotina, é tecer uma articulação harmoniosa entre as atividades, no tempo e no ritmo que se desenvolvem no espaço. É procurar a harmonia do pulsar do tempo rítmico, das atividades no espaço.

É importante que, num período de 4 horas de trabalho, o educador tenha a preocupação de marcar para o grupo as mudanças entre as atividades e, também, assinalar as variações rítmicas entre elas. Dentro desse período, o ideal é que o grupo tenha somente uma mudança espacial ou, no máximo duas, pois essas mudanças espaciais são sempre delicadas, em relação à concentração para o trabalho e à localização do grupo no tempo e nas atividades, especialmente quando se trata de grupo com menor idade.

Os movimentos rítmicos (pulsação) das atividades de uma rotina geralmente são: acelerado/tranqüilo, abre/fecha, dentro/fora, tensiona/relaxa, direciona/observa, excita/acalma etc.

A tarefa do educador é "reger" esses diferentes ritmos para a construção da unidade: a rotina do grupo.

Unidade é a integração das variações, diferenças e semelhanças na composição do coletivo.

A rotina do grupo, para constituir-se, necessita de presença instrumentalizada do educador.

O grupo, para constituir-se, necessita da presença do educador e de uma rotina (estrutura) de trabalho na qual os vínculos, na relação pedagógica, são constituídos juntamente com a produção e a construção do conhecimento.

O SILÊNCIO NO GRUPO

O silêncio no grupo é tão fundamental quanto a fala. Ele é um dos "participantes" sempre presentes. Às vezes apavorante, relaxante, outras vezes engraçado. Quando num grupo falante o assunto "morre" é o silêncio que assume a "fala".

Tempos de silêncio num grupo, juntamente com tempos de fala, compõe ritmicamente o pulsar compassado da "música" do grupo. O desafio, tanto do coordenador quanto dos participantes, está na escuta dos silêncios e nas pausas com que o grupo constrói sua fala.

Coordenador e grupo compulsivos pela própria fala, não possibilitam a escuta e o exercício compassado da pausa, a "respiração" que se faz necessária em todo processo criador.

Os silêncios de um grupo são como um momento de sono, em que às vezes relaxa ou vive pesadelos, mas que se fazem necessários como ato vital, onde se reorganiza e se reenergiza.

Esses momentos de silêncio trazem a possibilidade do grupo viver a ansiedade, o medo, o prazer ou o relaxamento. Medo e prazer que podem romper o mesmo silêncio.

O silêncio como fala pode e eventualmente deve ser rompido. Sua ruptura é adequada nas situações em que o coordenador ou um dos participantes diagnostica uma fala, encoberta, velada. Seu rompimento dá vez a uma fala significativa, não simplesmente aquela que cobre, tapa o buraco do silêncio. Nesta situação a fala desvela o que o silêncio dizia...

É no silêncio que o caos é digerido, assimilado, pensado. O silêncio depois do caos pode significar um encontro do grupo com ele mesmo. Um grupo que foge dos seus silêncios revela com este movimento dificuldades em se enxergar em seus desafios e limites.

Movimentos rítmicos entre silêncios, falas, pausas pequenas ou grandes, ruídos na comunicação. Todos estes movimentos fazem parte da composição sonora da vida de um grupo.

Função do educador é manter-se acordado, disciplinado para a sua regência.

SOBRE TAREFA E CONSTRUÇÃO DO CONHECIMENTO

Instrumento valioso na aprendizagem da construção do conhecimento e do grupo é a TAREFA.

É na execução das tarefas que os conflitos, as diferenças e o que ainda não se conhece são operacionalizados, elaborados, apropriados.

A tarefa é constituída por dois conteúdos básicos:

- os conteúdos do sujeito (seu saber e seus significados);
- os conteúdos da matéria (objeto do conhecimento a ser estudado).

Na concepção autoritária, a preocupação do educador está na fixação dos conteúdos da matéria, desprezando os conteúdos do sujeito. Na concepção espontaneísta, o peso maior está nos conteúdos do sujeito, não dando a mesma importância aos conteúdos da matéria. Na concepção democrática, *os dois conteúdos* são ferramentas básicas, vitais, para a construção do conhecimento.

A tarefa possibilita a apropriação do que já se sabe (e pensava que não sabia) e a construção do que ainda não se conhece.

Por isso, toda tarefa adequada, alimentadora das disponibilidades individuais de grupo sempre deflagra a dúvida, o mal-estar e também o prazer. Mal-estar porque trabalha as diferenças, os conflitos e o desconhecido; prazer, por possibilitar a apropriação do que antes era desconhecido em saber construído.

Para propor uma tarefa, o educador necessita ter o diagnóstico da "zona real" (no nível individual e de grupo) em que se encontra seu educando, para poder assim instrumentalizar a "zona proximal".

Isso significa que, em toda tarefa, se parte do que os educandos sabem (e do que lhes é significativo) para se depararem com o que ainda não conhecem. Portanto, toda tarefa é constituída por uma área de saber conhecido e por outra ainda ignorante.

Toda tarefa se constitui, assim, de questões que o educando consegue elaborar (zona real) e de outras que, sozinho, ainda não consegue (zona proximal).

É na interação com o outro, coordenado pelo educador, que será possível elaborá-las, sendo que, essas mesmas questões serão constitutivas da próxima tarefa, já não como zona proximal, mas como "zona real".

MADALENA FREIRE

O desafio do educador, na proposta da tarefa, é dosar adequadamente o enfrentamento com os "não sei", com o desconhecido, de tal modo que não paralise o processo de construção do conhecimento mas, ao contrário, instigue o educando a buscar saber mais.

A tarefa é instrumento para a elaboração do conhecimento, a construção da ação e a mudança.

Observando, acompanhando a evolução da execução das tarefas, o educador poderá avaliar se suas propostas estão possibilitando tarefas com desafios cada vez mais complexos.

O que cada tarefa deflagrou a nível individual e coletivo? Em que medida alimentou, produziu mal-estar e prazer? Até que ponto instigou ou paralisou a busca do conhecimento? Não produziu mudança? "Morreu" em si mesma? (prova de que não alcançou a zona proximal).

Nesse sentido, concluímos com Vygotsky que desenvolvimento, aprendizagem e ensino estão estreitamente vinculados. Através da tarefa, impulsionamos esses três elementos ao mesmo tempo.

No exercício e na execução da tarefa, o grupo constrói sua identidade, ganha uma cara própria.

Mediados pela tarefa, cada participante constrói o vínculo com o educador e entre iguais. Assume seu papel e sua intimidade consigo mesmo.

No cumprimento das tarefas, cada participante descobre, pelas intervenções do educador, que é diferente, que *faz parte* do grupo e ao mesmo tempo o *representa*.

Descobre que cada parte desse todo o expressa em suas conquistas e limitações. Cada elemento expressa o grupo, ao mesmo tempo que o grupo "fala" de cada um. O grupo é um grande corpo, constituído de suas *diferenciadas* partes.

Assim como todo elemento é diferente, cada grupo também é único, porque é diferente.

Cada grupo é um grupo.

SER EDUCADOR

VIDA DE GRUPO

Vivemos a tristeza das perdas
Da frustração pelas altas expectativas
Do dolorido
Em descobrir-nos nos que se foram.

Faca afiada que corta
Rasgando o velado
Expondo saudades
Esperando cicatriz

Pedaço de nós, de mim, que se foi e ficou
Resto de braço, perna, ouvidos, boca e olhos
Onde estais, estamos?
No pedaço de mim, de nós,
Que nos levaram, e não me acho?

Movimentos do processo de socialização no grupo

O percurso do processo de socialização no grupo, tanto de crianças, adolescentes e adultos, parte do amontoado simbiótico, passando pelo movimento de diferenciação, afirmação (pelo não) e apropriação da identidade, à descoberta da força do grupo e de seu exercício para a conquista da autonomia.

Em todos esses movimentos a presença do educador é indispensável. Como mediador que instiga, limita e acompanha (intervindo, encaminhando, devolvendo) os passos desse processo.

Nenhum grupo sobrevive a ausência do educador.

Todo grupo depende de uma autoridade para a construção do seu processo de autonomia.

Toda autoridade depende do grupo para a construção de seu exercício democrático.

Primeiro movimento

"Onde estou?"

"Com quem estou?"

"Quem cuida de mim?"

Centrado em si mesmo, o educando procura localizar-se no agrupamento.

A ligação fundamental é com a autoridade. É através de sua mediação que o mundo coletivo começa a ser desvelado, e a descoberta do outro e de si mesmo a ser exercitada. A necessidade premente do grupo é a estruturação de uma rotina que localize mais e mais as perguntas: "onde estou?", "com quem estou?" e "quem cuida de mim?".

Segundo movimento

"Quem é ele?"

"Quem sou eu?"

Por trás dessas perguntas está implícita a descoberta de que existe o outro além de mim, e que graças ao outro a criança (o adulto) faz a distinção do seu eu.

Afirma sua identidade através da oposição à autoridade. Afirma-se num movimento de exacerbação do eu, como diferente, ou igual ao outro, através de um movimento de negação, rebeldia, teimosia e birra.

Confronta-se com sentimentos de profundo prazer e ódio em conviver com o outro.

Na relação com o educador já é capaz de "soltar-se" dele e dispensa sua ajuda: "eu faço, eu sei, eu vou sozinho", "eu já entendi tudo" são expressões que "povoam" esse momento.

Terceiro movimento

"Sou do Jardim."

"Minha classe."

Descobre-se enquanto elemento de um grupo.

Expressa suas preferências e rejeições em relação as suas amizades.

Emergem nesse período, as lideranças e a formação de subgrupos também. Quando a relação com a autoridade não foi vivida de modo claro, explicitando limites e responsabilidades, muito possivelmente, teremos o confronto com lideranças tirânicas, que impõem sua vontade ao subgrupo (às vezes somente às duplas) e muitas vezes para todo grupo. Na verdade, tentam "ocupar" (o poder vago?) da autoridade, caso esta não o tenha exercido com a devida clareza.

Quarto movimento

"Nós somos do Jardim II."

Descobre a força do grupo. Constata que cada um compõe o nós. Num grupo de crianças surge nesse período os "clubes", as "patotas" de meninas e meninos, ou "futebol", "pular corda" etc.

O movimento de diferenciação entre meninos e meninas também é vivido na constatação da força do nós.

Num grupo de adultos emerge o aprofundamento do trabalho de subgrupos construído e apropriando-se do pensamento original do grupo.

Quinto movimento

"Nós podemos."

"Nós queremos."

"Não queremos."

O desafio é o exercício de força e do poder do grupo, exacerbação do "nós". É importante que o educador tenha claro quais os limites dessa força, pois esse é um tempo também de explicitar, delimitar o que pode e o que não pode, para o grupo. Caso contrário, toda essa força poderá ser "gasta" de modo improdutivo, "mal-educado..." Como é o caso das "gangues" que no exercício dessa força, destroem e perturbam o trabalho.

Trabalhar, educar os limites da força e do poder do grupo de modo produtivo a favor de todos e cada um; é tarefa a ser encaminhada pelo educador para a conquista da autonomia e da produção do conhecimento.

Movimentos da construção do grupo

(Crianças, adolescentes ou adultos.)

2-3 anos	3-4 anos	4-5 anos	5-6 anos	6-7 anos
"Onde estou?" "Com quem estou?" "Quem cuida de mim?"	"Quem é ele?" "Quem sou eu?"	"Sou do Jardim." "Minha classe." (meu grupo)	"Nós somos do Jardim."	"Nós podemos." "Nós queremos." "Nós não queremos."
Centrado em si mesmo, procura localizar-se no "amontoado", agrupamento através do educador.	Descobre-se através da interação com o outro.	Descobre que faz parte de um grupo.	Descobre a força do grupo: rebeldia negativa ou movimento positivo de produtividade.	Extrapola o grupo da "escola", abre-se para outros grupos. Socializa seu pensamento mediado por publicações etc.

Construção do eu (social) na interação com o outro construindo o grupo

Com minha mãe e meu pai
Aprendi a ter olhos de coruja.
Coruja não só noturna, mas também diurna.
Coruja observadora dos instantes, momentos,
Movimentos mais fortuitos, inusitados do cotidiano.
Coruja de olhar atento, curioso, abelhudo mas respeitoso, não invasivo, que busca a sintonia do olhar do outro.
Com minha mãe e meu pai
Aprendi a ser abelhuda, de olhar aberto, grande, que busca desvelar mais de um aspecto do olhar do outro.
Com minha mãe e meu pai
Aprendi também que coruja dorme, descansa seu olhar reflexivo nas horas mais inesperadas para o outro... mas mais apropriada para ela. Olhar de estudiosa que longe, distanciada da prática, reflete sobre suas observações, olhar de coruja que dorme, descansa enquanto seu aluno pratica, reflete. Coruja que às vezes vê longe, bem longe mas que às vezes perde-se ao focar seu olhar que de tão perto, se ofusca, cega, encandeia-se com tantas hipóteses a ler, decifrar...
Coruja, educadora, vê atenta porque escuta atenta. Ver, escutar, refletir, sedimenta a comunicação, o diálogo sobre o observado, refletido, aprendizado de coruja.

Observador

Esse aprendizado de olhar estudioso, curioso, questionador, pesquisador envolve ações exercitadas do pensar: o classificar, o selecionar, o ordenar, o comparar, o resumir, para, assim, poder interpretar os significados lidos. Assim, o olhar e a escuta envolvem uma AÇÃO altamente *movimentada, reflexiva, estudiosa*.

Na construção desse processo de aprendizagem, venho constatando alguns movimentos:

- *o movimento de concentração para a escuta do próprio ritmo*, aquecimento do próprio olhar e registro da pauta para a observação. O que se quer observar, que hipóteses se quer checar, o que se intui que não se vê, não se entende, não se sabe qual o significado etc.;

- *o movimento que se dá no registro das observações*, seguindo o que cada um se propôs na pauta planejada. O desafio está na saída de si para colher os dados da realidade significativa e não da idealizada;

- *o movimento de trazer para dentro de si a realidade observada*, registrada, para, assim, poder pensá-la e interpretá-la. É enquanto reflito sobre o que vi, que a ação de estudar extrapola o patamar anterior. Neste movimento, podemos nos dar conta do que ainda não sabemos, pois iremos nos defrontar com nossas hipóteses, adequadas e inadequadas, e construir um planejamento do que falta observar, compreender e estudar.

Este planejamento aponta para dois movimentos:

Um, que vai lidar com a construção da nossa pauta de observação, segundo os movimentos já mencionados para sua construção. Ou seja, a observação avalia e diagnostica a zona real do conhecimento para poder, significativamente, lançar (casando conteúdos da matéria com conteúdos do sujeito e da realidade) os desafios da zona proximal do conhecimento a ser explorado.

Outro, que se concentra na devolução (sair de si, outra vez...) para a construção de propostas de atividades (enraizadas nas observações feitas para o grupo, a partir das quais novos desafios irão ser trabalhados).

Podemos concluir, portanto, que o ato de observar envolve todos os outros instrumentos: a reflexão, a avaliação e o planejamento, pois todos se intercruzam no processo dialético de pensar a realidade.

DIRECIONANDO O OLHAR

O instrumento da observação apura o olhar (e todos os sentidos), tanto do educador, quanto do educando para a leitura, para o diagnóstico de faltas e para as necessidades da realidade pedagógica.

Para objetivar esse aprendizado, o educador direciona o olhar para três focos que sedimentam a construção da aula:

- o foco da aprendizagem individual e/ou coletiva;
- o foco da dinâmica na construção do encontro;
- o foco da coordenação em relação ao seu desempenho na construção da aula.

Por que é necessário focalizar o olhar? O olhar sem pauta se dispersa. O olhar pesquisador tem planejamento prévio da hipótese que se vai perseguir durante a aula, em cada um destes três focos.

No início desse aprendizado, em qualquer grupo, é adequado ter somente um foco para priorizar: na aprendizagem, na dinâmica, ou na coordenação. Supondo a grande dificuldade de concentração do olhar, do pensamento e da participação, ao mesmo tempo, é aconselhável priorizar um foco por vez.

No foco da aprendizagem, o desafio do educador é lançar questões que cercam a observação do educando em relação ao seu próprio processo (ou do grupo) de aprendizagem. Questões como: *Que momentos de mal-estar eu vivi no decorrer da aula?*; *O que de mais significativo constatei que sei e que não sei?* etc. Com estas questões lançadas, no início do encontro – e que serão no final retomadas na avaliação da aula –, o desafio é obrigar o educando a construir um distanciamento (reflexivo) sobre seu processo de aprendizagem durante o desenvolvimento da aula.

Uma vez que essas questões lançadas no início da aula são retomadas, no final, na atividade de avaliação, podemos concluir que elas, chamadas por mim de *Pontos de Observação*, constituem a pauta da avaliação, ou seja, os pontos de observação constituem o planejamento da avaliação da aula.

Os pontos de observação, em cada foco, apóiam a construção do aprendizado do olhar – olhar a dinâmica do encontro, que não significa criar atividade de sensibilização. Dinâmica que, aqui é entendida como o jeito, o *ritmo* que o grupo viveu a construção das interações na aula: acelerado, arrastado, em desarmonia, em harmonia etc. Dinâmica que envolve observar o *grupo* juntamente com a coordenação.

As questões neste foco poderão lidar com: *Quais os movimentos rítmicos que o grupo viveu durante sua participação na aula?* ou

Como o grupo expressou suas divergências e/ou concordâncias durante a aula? etc.

Aprendendo a olhar a si próprio e ao grupo vai alicerçando sua capacidade de ler e estudar a realidade.

Observar a coordenação faz parte do pensar o que é ser educador e o que é ser educando. Enquanto o educando observa o ensinar da coordenação, ele aprende a ser melhor aluno e, melhor educador. Pelo simples fato de que, diante do modelo, ele pensa, reflete, distancia-se, constrói conceitos – teoria do que é aprender e ensinar. Inicia também, seu processo de desmistificação da mesma. Começa a constatar que ela comete erros, derrapadas, incoerências, etc.

Neste foco, as questões poderão versar sobre: *Como a coordenação construiu sua sintonia com o conteúdo da matéria e o significativo do grupo?* ou *Como a coordenação lidou com os conflitos, as divergências, as diferenças durante a aula?* etc.

Ser observado também é instrumento valioso para a coordenação, que terá, no retorno de seus alunos, uma avaliação do que realmente está conseguindo ensinar, se está atingindo seus objetivos, ou o que falta construir de intervenções, encaminhamentos, devoluções, para a próxima aula.

Esse espaço, onde o educando faz devoluções sobre seu ensinar, é o lugar em que o educador pode construir-se (educando-se) também como aprendiz.

O ponto de observação

Observar é focar a escuta e o próprio silêncio em uma ação reflexiva, avaliativa, sobre elementos da prática que se quer pesquisar, estudar. Os focos da observação estão centrados no próprio processo de aprendizagem, na dinâmica do grupo e no ensinar do educador.

O ponto de observação é uma atividade essencialmente avaliativa mas também é o planejamento da avaliação, a ser desenvolvido no final da aula, quando cada participante socializa o que observou sobre os focos determinados.

O ponto de observação direciona o exercício da auto-avaliação, entendida como auto-regulação, ou seja, aquela atividade na qual o educando tem como desafio refletir sobre seu processo de aprendizagem, buscando um olhar distanciado, crítico, sobre o que vive enquanto participa da aula. O desafio, portanto, é que o educando seja levado a uma tomada de consciência sobre seu próprio processo de aprendizagem, podendo assim romper comportamentos estereotipados, viciados, como uma repetição mecânica de hábitos.

Todo processo de tomada de consciência opera-se num diálogo interno com nós mesmos e, ao mesmo tempo, é alimentado pela linguagem dos outros.

Por tudo isso, é fundamental que na avaliação, no final da aula, cada participante posicione-se, socializando sua observação (avaliação) trabalhada durante o decorrer da aula.

São situações distintas àquela em que o educador fez devoluções para seu educando sobre os desafios a serem enfrentados em seu processo de aprendizagem; diferente daquela em que o próprio educando expõe, assumindo-se diante do grupo. Socializando seus desafios e impasses em relação ao seu processo de aprendizagem.

O ponto de observação busca assim que cada educando assuma sua própria voz e aprendizagem, enquanto autor do processo e, portanto, vá dependendo cada vez menos da regulação externa do educador.

Nesse sentido, é uma atividade que alicerça o exercício da construção permanente da autonomia e da autoria.

MADALENA FREIRE

Sobre a prática do instrumento
da observação entre educador e educando

Educador aprende a observar, educando também.

Educando troca com educando, coordenado pelo educador, o que se observa.

Educador troca com educador, coordenado por um outro educador, o que se observa.

Educador interage com educando devolvendo-lhe, espelhando-lhe, suas conquistas e faltas na situação observada.

O educador, quando desempenha a função de observador, como co-produtor da pauta e do planejamento do professor, tem uma atuação vivamente reflexiva, porém silenciosa para o grupo. Silenciosa porque ele não está na função de professor do grupo. Ele é um outro educador, com uma tarefa diferenciada, específica: observar a coordenação no seu ensinar, na sua interação com o grupo e seus participantes.

Ele não faz intervenções nem devoluções para o grupo porque não é o educador dele, sua participação se dá em outro nível. Como também, poderá haver certas atividades em que sua participação com intervenções seja planejada anteriormente.

Ele faz devoluções de suas observações para o educador do grupo. Nesse sentido, um educador quando está nesta função é educador do educador. Por isso não interage com os educandos de seu educador, mas somente com ele (educador), devolvendo-lhe suas observações, espelhando conquistas e faltas na prática deste.

Sobre a ação do observador

Observar não é invadir o espaço do outro, sem pauta, sem planejamento, nem devolução, e, muito menos, sem encontro marcado...

Observar uma situação pedagógica é olhá-la, fitá-la, mirá-la, admirá-la, para ser iluminada por ela.

Observar uma situação pedagógica não é vigiá-la, mas sim fazer vigília por ela, isto é, estar e permanecer acordado por ela, na cumplicidade da construção do projeto, na cumplicidade pedagógica.

Momentos da experiência grupal

Os fantasmas

Que diabo tem esse grupo que me dá tanto medo e ansiedade?[2]

Que diabo tem esse grupo em que o risco de ser eu mesma me amedronta tanto?

Que diabo tem esse grupo em que o "não sei" é o início para o aprender?

Que diabo tem esse grupo que me deixa desvairada à procura do significado de tudo?

Que diabo tem esse grupo em que minha hipótese "correta" é desestabilizada, me fazendo duvidar de tudo?

Mas que diabo de grupo é esse em que me criticam?

Mas que diabo de grupo é esse que me faz sentir, às vezes, tão incompetente?

Que diabo de grupo é esse que não me "dá colo", quando chora-mingo, na minha indisciplina...

Mas que diabo de grupo é esse?

---

[2] Esse texto é fruto da minha reflexão sobre um momento de descoberta e confronto a respeito dos dilemas e desafios na vida de um grupo, que buscava constituir, entre seus participantes, uma relação democrática.

Esse, é o diabo do grupo

que pergunta

que dúvida

que diz não sei

onde errar é aprender.

que ri, que briga,

que tem medo, limites, fraquezas, mas que tem coragem também

que chora, que come e vive junto,

onde, muitas vezes, construindo sua competência é invadido por
forte sentimento de incompetência.

que corre riscos para conhecer o outro e a si mesmo.

que corre riscos, NEGANDO A OMISSÃO autoritária e aprende a assumir o que pensa, o que diz, o que faz.

que busca a construção permanente da disciplina intelectual educando a imaginação, o sonho, no dia-a-dia, junto com os outros,

que busca a paixão de conhecer, aprender, ensinar e educar.

As emoções

Alegria, riso aberto, contentamento, folia, concentração.

Medo, dor, choro, conflito, perdição, desequilíbrio, hipótese falsa, pânico.

Entendimento, diferenças, desentendimento, briga, busca, con-
forto.

Silêncios, fala escondida, berro, fala oca, fala fria, fala mansa.

Generosidade, escuta, olhar atento, pedido de colo.

Ódio, decepção, raiva, recusa, desilusão.

Amor, bem-querer, *gratidão, afago, gesto amigo de oferta.*

Os sabores

Quente, frio, no ponto.

Doce? melado? cheiro de hortelã?

Castanha, chocolate, perfume de canela.

Salgado? Gelado, cheiro de maçã?

Palmito, frango, damasco.

Perfumes vindos da janela, lembrando o cheiro da vida vivida, gosto de hortelã.

A ansiedade

Vida de grupo dá muita ansiedade, quando não recebemos o produto do conhecimento mastigado, pronto, dado pelo educador.

Quando o educador faz mediações com o objeto a conhecer, levando-me a lidar com meu reboliço, meu furacão interno (uterino?), minhas frustrações, ansiedades, levando-me a acreditar que POSSO CONSTRUIR, no meu silêncio-fala interna, minha sistematização, para que depois, novamente, voltando ao grupo, eu possa checá-la, provocando seu aprofundamento.

A frustração

Vida de grupo dá muita frustração porque, como educando, tenho de romper com meu acomodamento quieto, autoritário... Esperando "as ordens" do educador... quando elas não vêm, descubro que SÓ EU POSSO LUTAR, CONQUISTAR, CONSTRUIR meu ESPAÇO.

O educador pode possibilitar o rompimento da quietude, mas NÃO A AÇÃO DO CONSTRUIR, do conhecer, do enfrentamento da queixa e da frustração. Essa ação só o educando pode fazer.

O medo

Vida de grupo dá muito medo, porque através do outro constato que sou "dono" do meu saber (e do meu não saber). Sou dono de minha incompetência, e, portanto, RESPONSÁVEL pela minha BUSCA-PROCURA de conhecer, de construir minha competência.

O desânimo

Vida de grupo dá desânimo, porque, em muitas situações, nos confrontamos com o caos: acúmulo de temas, processos de adaptação, hipóteses heterogêneas. Caos criador que nos demanda nova *reestruturação-organização*. Procura da forma original própria e única adequada ao novo momento.

Vida de grupo (ah!... vida de grupo...)

O prazer e o trabalho

Vida de grupo dá muito trabalho e muito prazer, porque eu não construo nada sozinha; tropeço a cada instante nos limites do outro e nos meus próprios, na construção da vida, do conhecimento, da nossa história.

Quando penso que me conheço
o outro me mostra uma face desconhecida
que me habita.

Quando imagino conhecer
o outro
descubro alojado nele
minha face perdida
desconhecida.

Quando eu e o outro nos encontramos
cada um se descortina.
Mesmo que eu não queira,
mesmo que ele não queira,
o desconhecido
hospedado em nós
nos denuncia.

ESCOLA E FAMÍLIA

©Francisco Brennand

QUANDO EDUCAMOS?

Quando educamos
as crianças
os professores
os pais?

Quando educamos?

Existe hora determinada onde somos educadores e
depois deixamos de ser?
quando educamos?

Estamos educando quando
silenciamos, nos omitimos,
quando brigamos ou choramos?
Quando educamos?

Estamos educando quando
não nos escutamos e
nem escutamos o outro?
Quando educamos?

Estamos educando quando
Demonstramos
nosso desprezo, nosso ódio, nossa inveja
nosso querer bem
nosso afeto no abraço quente?
Quando educamos?

Estamos educando quando
nosso corpo está rígido e
nosso riso frio?
Quando educamos?

Existe hora determinada onde somos educadores e
depois deixamos de ser?
Quando educamos?

Um artista é artista
Só quando usa seu instrumento de trabalho?
Ou ele é artista?
desde a hora que desperta
até a hora que adormece?
Quando educamos?

O ato de educar
É contínuo, permanente,
porque quem educa
é a pessoa
na sua totalidade,
com suas incoerências e limites
em todos os seus momentos.

Escola e Família

Uma das faces do espontaneísmo, em relação ao trabalho com grupo, é a inadequação do vínculo estruturado neste. Se entendemos que uma instituição é constituída por um grupo, onde o vínculo que os liga é o profissional; o que acontece num grupo, numa instituição, quando a relação se estrutura num vínculo de parentesco?... Terreno delicado.... Comumente temos as seguintes características:

- As funções não se definem claramente: o coordenador pedagógico mistura-se com as reivindicações dos professores, em vez de instrumentalizá-los na sua prática pedagógica para que *eles* próprios *façam* sua luta.
- A relação é sempre ambígua porque a estruturação do vínculo está truncada, ora a direção assume sua função profissional, ora assume, quando lhe convém, a "mãezona". Esta relação camuflada propicia a manipulação, tanto do patrão quanto do empregado.
- As regras da instituição, os limites da função de cada um e da própria instituição, não são assumidos de modo transparente e claro.
- Sendo uma instituição pública, porque não é espaço privado da família; o desafio está em trabalhar o compromisso e a responsabilidade de seus educadores, para que estes assumam-se como profissionais, no exercício da construção do poder que lhes compete.
- O poder quando exercitado ambiguamente, confundindo-se entre o mundo privado (da família) e o público (da escola) mais cedo ou mais tarde, provocará "curto-circuito", "rachas", com saídas isoladas de profissionais ou o esfacelamento do grupo.

Escola não é casa.

Casa não é escola.

Casa é espaço privado, familiar, onde há laços de parentesco, primordialmente com duas autoridades centrais: pai e mãe, que são construídos e preservados na proteção da privacidade, na intimidade do lar.

Escola é espaço público, de muitas autoridades, não só de pai e mãe como no espaço privado. É espaço do bem comum, onde iniciamos a aprendizagem de conviver num grupo de iguais, onde temos os mesmos direitos, embora entre autoridades diferentes. Educador tem autoridade de educador, educando tem autoridade de educando.

Na família, aprender é "natural" e espontâneo porque sedimenta-se na intuição, na informalidade orientados por valores. Mesmo sendo de crucial importância no espaço da família a introdução da criança numa ética primária, em que regras sociais de "bons modos", "boa educação" são vivenciadas. Na escola aprender não é natural, nem espontâneo (lida-se com a naturalidade e a espontaneidade) porque trabalha-se a sistematização do conhecimento. Na escola temos educadores profissionais. Pai e mãe são educadores no espaço familiar, mas não são profissionais. Caso contrário, já acordariam com o planejamento nas mãos.

A escola é espaço público, de muitos, e seus educadores são, portanto, pessoas públicas. Responsáveis, comprometidas pela transmissão do saber, no acompanhamento da aprendizagem de seus alunos.

Contudo, Escola não vive sem Comunidade. A Família, não vive sem a Escola. Ambas fazem parte da constituição deste sujeito aprendente, cidadão responsável pelo bem comum. Por tudo isso, todo educador tem sempre duas classes: a dos seus alunos e a dos pais destes – a família. É neste sentido que a Escola também tem os pais (a comunidade) como interlocutores em cons-

ESCOLA E FAMÍLIA

tante diálogo sobre os impasses e conquistas, no exercício de ambos em educar. A escola com seus alunos. Os pais com seus filhos.

A reunião de pais é o espaço determinado para esta interação, troca, diálogo. Reunião de pais não é meramente uma data que "cai do céu" para avisos administrativos ou más noticias sobre os filhos... Ela é o momento em que colocamos temas significativos que envolvem tanto a nós professores na relação com nossos alunos, quanto os pais na relação com seus filhos. Temas como limite, rotina, agressividade, sexualidade etc., que fazem parte do nosso dia-a-dia, devem ser devolvidos como pontos da pauta da reunião, em que pais e professores se coloquem em seus desafios, podendo em muitas situações, a escola lançar luzes para o entendimento dos pais de sua importância enquanto educadores, na relação com seus filhos.

É neste sentido que a escola pode lançar referenciais para a reflexão dos pais, onde cada educador assume sua classe de pais, onde a construção do diálogo entre Escola e Família possa construir-se.

SOBRE O TRABALHO DE PAIS

Assim como os professores trabalham as descobertas, os interesses e as necessidades das crianças, assim como o coordenador trabalha as necessidades e os interesses dos professores, deve existir um profissional que trabalhe os interesses e necessidades dos pais.

Neste trabalho de pais, quem trabalha com eles?

1. O professor:

- estabelecendo canais de comunicação para passar seu trabalho no dia-a-dia para os pais;
- assumindo o ápice desse trabalho do dia-a-dia na reunião de pais sobre sua coordenação.

2. O coordenador:

- responsável pelas entrevistas individuais (que trabalha uma evolução de descobertas por parte dos pais). Nessas entrevistas (ou do que o professor observou de interesse na sua reunião) pode selecionar interesses, temas que estão desafiando os pais na relação com seus filhos, e propor uma reunião sobre esse tema.

Trabalhar com os pais:

- *Não* é infantilizar os pais propondo que desenvolvam as mesmas atividades que seus filhos na escola, pois isto é o mesmo que dizer para eles que eles não sabem *refletir* sobre sua prática com os filhos.

Trabalhar com os pais:

- é resgatar o que os pais *sabem*, de intuição e bom senso, pois também são educadores;
- é ler seus interesses, desafios e necessidades, devolvendo para *pensarem, refletirem* juntos sobre "o que é EDUCAR?". Para que cada um opte e construa seu caminho na sua relação com a educação de seu filho.

Será que vai dar tempo?

Quero tempo!
Tempo para existir
no que desejo e penso.

Quero tempo
Tempo para falar, escrever
no meu tempo, ritmo próprio
de tudo que venho
fazendo e buscando.

Tempo, que te quero tempo![3]
para viver o duvidar
o perder-se
o não fazer nada
para melhor pensar, desejar.

Tempo! Tempo! que te quero tempo!
Tempo de juntar forças
de viver mudanças
no meu trabalho de formiga e cigarra
para continuar nascendo todo dia.

– Será que vai dar tempo?

---

[3] Como diz Lorca: "Verde que te quero verde".

Sala de aula

A construção da aula

Fomos educados, enquanto educandos, a ouvir, assistir a aula. Passivamente, foi esta nossa participação na aula do educador. Fazer ou não fazer a tarefa só nos importava se era para nota..., caso contrário, sentíamo-nos dispensados. Assistir à aula, esse foi o desejo que sempre recebemos do educador. O bom educando assiste à aula que o educador dá. Quanto mais passivo, melhor, produto alcançado pelo educador do seu ensinar. Quanto maior a centralização do educador do produto da aula que é dada, melhor educador ele será. Bom educando não "entra" questionando, perguntando na aula do educador. Sua entrada é pela quietude de ouvinte.

Assim como a aula é dada, as tarefas também são dadas: "caem do céu", não são construídas em conjunto, na interação participativa com os educandos. A tarefa não tem significado. Fazer ou não fazer, dá na mesma, a aula é só do educador. O educador não muda a aula para se perguntar o porquê da tarefa não feita. A tarefa não feita não se torna elemento reflexivo, construidor da "nova" aula.

Numa outra concepção de educação que acredita que cada um, educador e educando, são sujeitos pensantes que constroem conhecimento e não simplesmente os reproduzem, os desafios são muitos.

Para construir conhecimento, cada um depende do outro, depende da parte do outro. Parte do outro que é seu saber, expresso e socializado pelas tarefas.

O não cumprimento da tarefa por um, ou mais elementos, afeta a todos. O corpo fica sem um dos membros. O processo sofre perdas. Quando uma parte não se oferece, não pode existir o coletivo na sua plenitude e o conhecimento em construção prejudica-se.

Faz parte do coletivo, exige compromisso de cada parte (mediada pela tarefa) pela construção da produção coletiva: a aula.

Nesta concepção o educador depende do grupo, dos educandos, para *fazer* a aula. A aula não é só dele porque o conhecimento é construído, elaborado a partir da contribuição (expressa no cumprimento das tarefas) de cada um.

Faz parte do coletivo, exige responsabilidade no cumprimento das tarefas que, por sua vez, exige de nós exercício de oferta, generosidade e humildade, para assumirmo-nos nos limites de nosso processo de formação, juntamente como os limites dos demais.

Somos "geneticamente sociais", fazemos parte de um grupo onde nossa produção alicerça o produto coletivo: a aula.

Ando num fogo de vida
que não me caibo
Transbordo,
inundando salas de aula.

Sou? Somos?

Somos sujeitos porque desejamos.

Somos sujeitos porque criamos, imaginamos e sonhamos.

Somos sujeitos porque amamos e odiamos, destruímos e construímos conhecimento.

Somos sujeitos porque temos uma ação pensante, reflexiva, simbólica, laboriosa no mundo.

Contudo, há muito sujeito que não é dono de seu desejo, de seu fazer, de seu pensamento. Como fazê-lo reconhecer o próprio desejo, pensamento, se nunca lhe foi possível praticá-lo?

Para (re)acender o (re)conhecimento de desejos, sonhos de vida – esperança que nasce da apropriação do próprio pensamento – na prática pedagógica, é necessário a presença instrumentalizadora de um educador na coordenação do grupo.

Educador que se disponha a aprender enquanto ensina, trabalhando seus ranços autoritários e espontaneístas na tentativa, na busca da construção de uma relação democrática.

Educador que, também, se disponha a acompanhar o processo de instrumentalização para a apropriação da reflexão (pensamento: prática e teoria) de seus educandos. Pois, identificando-se (vendo-se) nas hipóteses destes, poderá trabalhar no terreno dos desejos abortados, ou seja, resgatar o processo de aprendizagem do pensar que a relação autoritária sufocou.

Este é um trabalho de planejamento longo que exige muita paciência, reflexão, estudo, disciplina intelectual. Contudo, não basta disponibilidade, abertura, paciência e estudo somente do educador, nem somente do educando. Este é um trabalho tecido no grupo, no qual o educador necessita conhecer as hipóteses que os educandos constroem nesse processo (do resgate do seu pensamento), na interação grupal.

ESCOLA E FAMÍLIA

Que caminhos, desde o resgate da oralidade até a autoria, a reflexão trilha?

- Não sei falar ...
- Não consigo ler ... (o que escreveu)
- Morro de medo de ler o que escrevi.
- Sintetizo demais, só eu entendo (sobre o que escreve) etc.
- Tudo que escrevo vira um "romance".

O desafio para o educador é construir intervenções, encaminhamentos e devoluções adequadas, que possibilitem um pensar sobre cada hipótese deste processo de construção (e apropriação) da reflexão: pensamento. Para construir este fazer, o educador necessita de uma metodologia, de instrumentos metodológicos que alicercem o processo de apropriação e autoria.

A reflexão é um deles porque *possibilita*:

- o rompimento da anestesia do cotidiano, rotineiro, acelerado, compulsivo, passivo, cego;
- o distanciamento necessário para tomar consciência do que se sabe (e pensava que não sabia) e do que ainda não se conhece;
- a tecitura de um diagnóstico das hipóteses adequadas e inadequadas na prática pedagógica;
- a sistematização do estudo da realidade pedagógica e, ao mesmo tempo, a possibilidade do casamento entre prática e teoria;
- a instrumentalização do acompanhamento do processo de formação do educador (apropriação de seu pensamento, sua autoria), o alicerçamento do processo de transformação, mudanças;

- o registro da história – individual e coletiva – do processo na conquista do produto;
- a constatação de quais são as contradições entre o seu pensar teórico e a sua prática, entre o seu pensar-fazer com o dos outros;
- o resgate de sua história de educando para poder pensar melhor sua prática (atual) de educador e que teoria vem alicerçando essa prática;
- a elucidação de sua opção pedagógica, política, no ato de educar para fabricar a construção do desejo, sonhos de vida e esperança.

Porque refletimos, desejamos, sonhamos, somos sujeito, fazemos educação.

ENCONTRO

A cada encontro: o imprevisível.

A cada interrupção da rotina: algo inusitado.

A cada elemento novo: surpresas.

A cada elemento já parecidamente conhecido:
desconhecimento.

A cada encontro: um novo desafio, mesmo que
supostamente já vivido.

A cada tempo: novo parto, novo compromisso.

A cada conflito: nova faceta insuspeitável.

A cada aula: descobrimento de terras ainda não
desbravejadas.

A cada aula uma aventura.

A cada aula uma revelação.

A cada aula uma perplexidade.

Cada aula um caminho na busca de mim mesma.

Cada aula um nascimento com o outro.

O CORPO EM APRENDIZAGEM NA CONSTRUÇÃO DA AULA

Rostos em sobressalto, assaltados? Assustados, o que pensam? Rostos em xeque ou choque?

"Xeque-mate" ou choque elétrico? Rostos que olham abismos, mas a sala é tão planalto! O que pensam?

Rostos que admiram, miram? O transbordamento do pensamento?

Corpos em desalento, desassossego, inquietos, incomodados, cansados, entediados, preocupados, largados, o que pensam?

Pernas que se contorcem, embrulham-se? Escondem-se? Mostram-se na tensão tesa, de raiva? Pernas que espreguiçam, voam até a prática e chegam correndo de volta, como um corredor perdido na maratona, o que pensam?

Mãos que esticam-se, alongam-se, numa dança de caneta entre os dedos, mãos que levam o dedo, a unha, a boca, o que pensam?

Dedo que aponta, que se mete, entra cutucando, esfregando, espremendo feridas...

Dedos que, preguiçosos, resistem a "fotografar", marcar, escrever a própria agonia do pensar. Dedos que, com a força do pensar, degolam a caneta ou anestesiados, mecanicamente, não desgrudam-se do papel numa escrevinhação compulsiva, o que pensam?

Mãos que seguram, apóiam o rosto, defendendo-o da queda? Da decepção?

Mãos que agradam, coçam o cabelo, a cabeça, o que pensam?

Costas que se arrumam ereta, alinhadas na cadeira, braço que se ergue, levantando, "gritando", o que pensam?

Boca apertada, bem fechada na fechadura da boca de cada um, que baba pelo mito e ainda não de seu conta que está em processo de desmistificação de si próprio e, portanto, também do modelo.

Olhos que pedem colo, olhos de "peixe-morto", olhos de "bebê chorão", olhos que olham na descrença, que divergem, resistem revoltados, negam, calam, esbravejam perdição! Socorro! Alegria, encantamento, fascínio, caos.

Corpo inteiro e pedaço por pedaço, que sente, pensa, sofre e goza; mostra o processo de aprendizagem, dentro da história de cada um. "O corpo fala.""O corpo não mente."

O educador, ao mesmo tempo que sente, pensa com seu próprio corpo, dentro de seus limites, problematiza, questiona, provoca o pensar de seus educandos, no que seus corpos "falam" e "escrevem". Por isso, nesta concepção de educação, ele não dá aula, ele constrói a aula com cada um e todos. Por isso, lança "flechas" que tem alvo significativo para cada aluno e, ao mesmo tempo, para todos. "Flechas", olhares e gestos, que instigam, provocam, cutucam o pensar, o perguntar-se, o questionar-se para assunção ("assumição") da autoria, da própria e única, sua impressão digital, sua consciência.

EXPOSIÇÃO E AUTORIA

Num grupo estamos sempre nos expondo. Tanto para o olhar dos outros quanto, principalmente, para o olhar interpretante, leitor, da coordenação. Mesmo no silêncio omisso, escondido, na divergência ou concordância camuflada, e ou nas falas paralelas, nos sinais, gestos entre alguns, ou nas risadinhas, sorrisos disfarçados e ou nas falas de cochichos que não falam do real conflito, câncer escondido no fundo do baú, e ou nos comportamentos invasivos de atender celular ou de querer fazer telefonemas em plena reunião! Sempre estamos nos expondo.

Num grupo, estamos formando a todos e a nós mesmos, portanto somos cúmplices do que acontece a cada um e a todos durante a reunião. Tudo nos diz respeito porque cada um constitui e representa este coletivo. Ninguém está fora, imune, neutro, à salvo...

Por tudo isso, umas das qualidades essenciais a exercitar por cada um é a *generosidade. Olhar* para o processo de aprendizagem dos outros com o acolhimento que cada um na sua singularidade, demanda. Olhar e limitar, cortar, e desvelar para o outro sua real dificuldade. Olhar e exercitar o acolhimento da escuta, *contribuindo com a coordenação* na sua função diferenciada, mas tornando-se responsável juntamente com ela, na coordenação, condução da reunião e não deixando-a só nesta construção.

Sabemos que a coordenação vive o exercício solitário de sua autoridade que só a ela lhe cabe, como também cada participante, enquanto educando, também o exercita em sua autoridade de educando. Mas há um outro exercício numa concepção democrática em que cada participante é co-autor da reunião. Educador enquanto coordenador e coordenando enquanto educando. Numa concepção autoritária delegamos tudo à coordenação e vagamos irresponsavelmente pelos outros e por nós mesmos.

Nesta concepção de educação que busca a construção de uma relação democrática na qual a autoria vai sendo, responsavelmente, consolidada, conquistada, somente pode acontecer num espaço de exposição. Pois sem esta opção conscientemente assumida, não poderemos conhecer o conteúdo da matéria, nem aos outros, nem a nós mesmos, e tão pouco construirmo-nos enquanto grupo de trabalho.

Quebrar nosso comportamento autoritário, cristalizado, acomodado, de quem assiste a reunião, *para quem constrói a reunião* é nosso desafio permanente.

ESCOLA E FAMÍLIA

Aprendizagem, construção do conhecimento e processo grupal

É no grupo, sob a coordenação de um educador e na interação com o igual, que se aprende a pensar e a construir conhecimento.

Aprender a pensar e a construir conhecimento envolve exercício permanente, disciplinado de falar, escutar, observar, ler, escrever, estudar e agir (tanto individualmente quanto em grupo).

Pensamos sempre com o outro (em acordo ou desacordo) e para o outro. Todo pensamento demanda comunicação. Pensamos para nos comunicar. Porque nos comunicamos (interagimos) pensamos. Pensamos para comunicar ao outro, ao grupo. A espiral não tem fim...

É no grupo que aprendemos a conviver com o outro e com esse difícil aprendizado de lidar com as diferenças: diferentes idéias, concepções, opções de relacionar o próprio pensamento com o do outro, e a construir o conhecimento do grupo (generalizável) a partir do pensamento (socializado) de cada um.

Instrumento valioso nesse aprendizado e na construção do grupo é a tarefa.

É na execução das tarefas que os conflitos, as diferenças e o que ainda não se conhece são operacionalizados, elaborados, apropriados.

A tarefa é constituída por dois conteúdos básicos: os conteúdos do sujeito (seu saber e seus significados); os conteúdos da matéria.

Os dois conteúdos são ferramentas básicas vitais para a construção do conhecimento. Pois quem o constrói é o sujeito, a partir de seus significados alicerçados no saber universal culturalmente construído.

A tarefa possibilita a apropriação do que já se sabe (e pensava que não sabia...) e a construção do que ainda não se conhece.

Por isso, toda tarefa adequada (alimentadora) das dificuldades individuais e do grupo sempre deflagra a dúvida, o mal-estar e também o prazer. Mal-estar porque trabalha as diferenças, os conflitos e o desconhecido. Prazer porque possibilita a apropriação do que antes era desconhecido, em saber construído.

Isso significa que em toda tarefa o educador parte do que os educandos sabem (e do que lhes é significativo) para se depararem com o que ainda não conhecem. Portanto, toda tarefa é constituída por uma área de saber conhecido e por outra ainda ignorada.

O desafio do educador, na proposta da tarefa, é dosar adequadamente o enfrentamento com os "não sei", com o desconhecido, de tal modo que não paralise o processo de construção do conhecimento, mas, pelo contrário, o instigue a buscar saber mais.

A tarefa é instrumento para a elaboração do conhecimento, construção da ação e da mudança.

Observando, acompanhando a evolução da execução das tarefas, o educando poderá avaliar se suas propostas estão possibilitando tarefas com desafios cada vez mais complexos.

No exercício e execução da tarefa o grupo constrói sua identidade, ganha uma cara e, mediado pela tarefa, cada participante constrói o vínculo com o educador e entre iguais. Assume seu papel e sua intimidade consigo mesmo.

No cumprimento das tarefas cada participante descobre que é diferente, que faz parte do grupo e ao mesmo tempo o representa. Descobre que cada parte desse todo o expressa em suas conquistas e limitações. Cada elemento expressa o grupo, ao mesmo tempo que o grupo "fala" de cada um... O grupo é um grande corpo constituído de suas diferenciadas partes. Assim como cada elemento é diferente, cada grupo também é único porque é diferente.

Escola e Família

É no exercício das tarefas que cada grupo constrói seu "corpo". É no registro e na socialização de suas reflexões, seus pensamentos, que cada grupo escreve sua história.

Cada grupo é um grupo, com seu ritmo próprio e com dinâmica própria, com suas necessidades, maiores ou menores de tempo, para elaborar suas dificuldades e conflitos.

Cada grupo tem seu jeito de lidar, viver o tempo de que dispõe. Cada grupo tem seu ritmo e sua organização no tempo e no espaço em que vive. Cada grupo passa necessariamente por períodos de crise, confusão, tranqüilidade ou acomodação. Esses momentos expressam os movimentos do processo de aprendizagem: apreensão, confusão e elaboração.

Em alguns momentos, o educador poderá constatar que está diante do caos... Caberá à sua habilidade disciplinada organizar, instrumentalizar, direcionar o caos para que este possibilite produtividade, aprendizagem e crescimento.

Refiro-me especificamente à ação disciplinada – mediada pelo exercício da observação, reflexão, avaliação e planejamento do educador. O caos não acontece por acaso. Ele é resultado de um encadeamento planejado de intervenções, devoluções e encaminhamentos por parte do educador. Seu objetivo é provocar a expressão das diferenças, desejos e conflitos, para que a construção do conhecimento possa acontecer.

O caos, quando é resultado dessa ação planejada, é sinal que o choque do velho com o novo está acontecendo.

Cabe ao educador indicar (instrumentalizar) a construção do caminho de saída para o novo conhecimento. Nesse processo podem existir duas condutas extremas e típicas na vida do grupo.

Numa, o grupo tem pouca ansiedade e o processo de aprendizagem não pode ser impulsionado, na outra, o grupo tem ansiedade demais e igualmente o processo fica bloqueado.

Na primeira, o grupo não se pergunta, não se arrisca, acomoda-se ao que sabe. Não enfrenta os próprios conflitos, diferenças, ansiedades, esconde-se atrás dos estereótipos:

"– Já sabemos, não existem dúvidas, não existem problemas, já trabalhamos, é a mesma proposta", etc.

Assumem a fatalidade de que tudo já sabem na atitude aparente de sabedoria e tranqüilidade. Mas no fundo, o grupo está fechado no medo da própria ansiedade e do confronto com o novo, o "não sei". Bloqueado, estereotipado, acomodado, o grupo não produz.

Na segunda conduta o grupo é invadido e paralisado pela própria ignorância e ansiedade. Sempre não sabe nada, só tem dúvidas, tudo é muito difícil, impossível.

Assumem a lamúria fatalista de que não tem jeito, nada vai mudar. Nessa situação, existiu a presença do educador, mas seus encaminhamentos inadequados não possibilitaram a elaboração do novo e o grupo estagnou na própria ansiedade. Na outra, não existindo a presença instrumentalizadora do educador, o grupo acomodou-se na própria ignorância.

Por tudo isso, o educador é uma peça fundamental no grupo. Sem ele, o grupo não se constitui. Não é difícil que o educador nesse processo de rompimento dos estereótipos com suas "intervenções, devoluções e encaminhamentos" termine atraindo para si a agressão ou a hostilidade de alguns membros. Por isso, é crucial que o educador tenha a clareza de sua função e de seus objetivos. Para coordenar um grupo nessa metodologia, é necessário exercitar seus instrumentos metodológicos – observação, reflexão, síntese e planejamento – e viver o processo de construção do grupo.

O educador, coordenador de um grupo é como um maestro que rege uma orquestra. Da coordenação sintonizada com cada diferente instrumento, rege a música de todos.

O maestro sabe e conhece todas as partituras e o que cada um pode oferecer. A sintonia de cada um com o outro, a sintonia do maestro com cada um e com todos é o que possibilita a execução da peça pedagógica.

Esta é a sua parte: reger as diferenças (socializando os saberes individuais) para a construção do conhecimento (generalizável) do grupo.

Assumir a autoridade de professor é assumir as responsabilidades da formação de cada educando e do grupo, pois grupo algum se forma sem a presença de um educador.

E o que acontece quando um professor ou coordenador não assume a sua autoridade?

Na maioria das vezes é porque temem ser autoritários, querem ser democráticos. Imaginam que numa relação democrática o grupo – de adultos ou crianças – pode tomar as suas decisões sozinho, sem sua coordenação.

Na verdade, confundem autoritarismo com assumir a própria autoridade. Pois assumir a autoridade de professor ou de coordenador é estar presente para instrumentalizar – criança ou adulto – no sentido de que conquistem sua autonomia no trabalho e vivam a sua liberdade. Porque a ausência de uma autoridade é para o grupo uma forma sutil de repressão, pois este fica a mercê de lideranças autoritárias (entre os participantes do grupo), em que a manipulação de alguns domina e "castra" a iniciativa dos demais.

Nenhum grupo se forma sem a presença assumida de um educador – professor ou orientador. Sem ela o grupo quase sempre cai na tirania autoritária. E o professor ou coordenador que não assume os encaminhamentos temendo ser autoritário cai no "democratismo" que é tão autoritário quanto o autoritarismo. Sofre de uma prática espontaneísta trazendo, entranhado dentro de si, a renúncia a educar.

Todo educador espontaneísta no fundo teme o próprio "ranço" autoritário. Esconde-se por trás de uma conduta muito aberta, "democrática", e assim não assume nem o próprio "ranço autoritário", nem o seu papel como educador que pode vir a ser realmente democrático.

PATERNIDADE

Pai possibilita o corte de nossa raiz: a mãe. Aponta a falta.

Pai coloca os limites da fronteira entre a simbiose e a diferenciação com o outro.

Pai introduz a realidade.

Pai explicita a lei, o social.

Pai frustra e provoca muita dor...

Mas... Pai... também dá aconchego amoroso, paterno, dá colo, no entendimento, acompanhamento do exercício das diferenças e na convivência com estas.

Pai também *ACOLHE*, *RECEBE*, *CORTA* e *LIMITA* com *AMORO-SIDADE DESAFIADORA*.

Pai seco, amargo é aquele que se perdeu em seu exercício de paternidade, *EMBRUTECEU-SE* na *ASPEREZA* do corte e já não é capaz de *PARIR ESPERANÇA*.

Todo educador trabalha reapresentando um "pai" e uma "mãe" no seu ensinar, na construção do conhecimento.

PROCESSO DE ADAPTAÇÃO
PRIMEIRO MOVIMENTO
DA APRENDIZAGEM

Processo de adaptação, momento de início de gestação. Às vezes, dá enjôo, outras, não dá. Às vezes, medo, dúvidas de deixar o filho crescer ou não, tirar, sair, não enfrentar o novo, o desafio. Outras vezes a alegria da chegada de um começo de uma nova vida em gestação: processo de adaptação. Lembranças de outras gestações. Diferenças. Maior segurança nessa, mas sempre única, nova gestação. Porque é sempre um novo começo de encontro com a vida. Sempre aprendizado, sempre coração batendo, boca seca, exacerbações no que sou, no que cada um é. Aprendizado de ouvir o outro, aprendizado de falar, aprendizado de me enxergar, de me expor. Maior entendimento com a criança "chorona" que lá dentro de mim joga seu medo nos outros ou diz que não o tem, para não enfrentá-lo.

Processo de adaptação, tempo de aprendizado:

- com o meu descompromisso, comigo mesmo e com o grupo;
- com a minha não entrega ao grupo, ao outro;
- com a minha intolerância ao novo do outro;
- com a minha arrogância e prepotência em relação ao não saber do outro.

Processo de adaptação, sempre "banho" com os outros e comigo mesma. A água, às vezes, vem fria, outras, morna, outras vezes fervendo! Ainda não sei medir o fluxo e a temperatura adequada..., não existe processo de adaptação sem banho (neutralidade), sem se molhar. Não existe embrião fora da bolsa d'água..., não existe adaptação sem o desejo, a disponibilidade de se entregar ao risco de conhecer, fazer novo. Risco da entrega na busca permanente de conhecer o outro e a mim mesma, oferecendo-lhe o velho, o meu mais querido presente.

Processo de adaptação, nunca termina, está reiniciando-se sempre. Sempre envolvido pelo medo do novo, que mexe com um pedaço meu que começa a nascer. Esconder-me, lamuriando-me ou vangloriando-me de tudo que já sei, fugir..., não levará ao enfrentamento das dores das contrações que o parto provoca.

Às vezes, faz-se necessária a intervenção de um bisturi afiado de educador, uma cesárea... para a vida, para o novo conhecimento nascer.

Toda essa dor, toda essa ansiedade, esse medo traz a alegria, a emoção e o prazer de ver a cara da criança. Ter o recém-nascido, o novo conhecimento nas mãos.

TÔ COM MEDO! AI QUE MEDO!

Ai que medo me dá estar num grupo!

Ai que medo me dá constatar que os outros me vêem nas minhas feridas, nas minhas faltas! Ai que medo me dá não poder mais me esconder no meu mundo velado, na minha omissão! "Tô com medo!"

Ai que medo me dá ter que romper com meu silêncio acomodado e minha fala oca! Ai que medo me dá me ver! Ai que medo que dá ser responsável pela mudança do outro! Ai que medo. "Tô com medo!"

Ai que medo de me expor no que penso, no que não sei, no que tenho dúvidas! Ai que medo de me concentrar, parar e descobrir verdades! Ai, ai que medo. "Tô com medo!"

Ai que medo de assumir a autoridade, o comando, a direção! Ai que medo de me responsabilizar, de me implicar com o compromisso de todos, de socializar minha diretividade! Ai que medo. "Tô com medo!"

Ai que medo de brigar! Ai que medo dos conflitos, das divergências! Ai que medo de diferenciar-me! De assumir-me nas minhas diferenças. Ai que medo de constatar que o adolescente juvenil se foi e que agora sou outro... Quem sou? Ai que medo! "Tô com medo!"

Ai que medo de derrubar, destruir, desfazer estruturas! Ai que medo de criar, inventar saídas. Ai que medo de ousar e me arriscar criando o novo! Ai que medo. "Tô com medo!"

Ai que medo de quebrar idealizações dos outros em relação ao que imaginam que sou! ... Ai que medo de me ver! Ai que medo de me ver nos meus limites e faltas, na minha fragilidade. Ai. "Tô com medo!"

Ai que medo de oferecer ao grupo minha insegurança, minha maternidade (Eu? Homem? Macho?) Minhas fraquezas. Meu medo! Ai que medo! "Tô com medo!"

ESCOLA E FAMÍLIA

Planejamento
Sonhar na ação de planejar

Todo fazer pedagógico nasce de um sonho. Sonho que emerge de uma necessidade, de uma falta que nos impulsiona na busca de um fazer.

Sonhamos porque vivemos alimentados por nossas faltas ...

Num primeiro movimento desse sonhar pedagógico o ingrediente básico – porque ainda não iniciamos o fazer – é a idealização: capacidade de imaginar, idear, projetar fantasias, planejar idéias a serem executadas. Ou seja, faz parte do planejar a ação de sonhar que, neste primeiro movimento, ainda não está no plano das idéias, das hipóteses que estruturarão a ação pedagógica.

No contato com a realidade pedagógica o mundo do sonho planejado, idealizado, pode sofrer choques (grandes ou pequenos, fracos ou fortes, em sintonia ou dessintonias) onde emerge um segundo movimento que é o do desilusionamento.

Podemos ter duas possíveis reações no contato com esse movimento: ou caímos numa atitude pessimista, desesperançosa, fatalista ou incorporamos esse movimento como elemento constituidor do sonhar. Pois, é do sonho que construímos um fazer, "chegamos" a realidade e, é na realidade, tendo nosso sonho como parâmetro, que poderemos trabalhar o enfrentamento do idealizado, do fantasiado, do imaginado como real. Para, assim, começarmos a nos instrumentalizar para a construção de um sonho mais real – adequado a realidade; agora não a realidade imaginada, fantasiada, *mas a real*.

Será no fazer desse processo de *sonhar-planejar-idealizar-desilusionar-se* e reconstruir o sonho mais perto do possível, do realizável, nos limites que a realidade nos impõe, que poderemos agilizar em nós a nossa capacidade de sonhar o possível.

Pois para isto, exige-se o exercício constante da persistência, da perseverança para a construção do rigor na ação do *refletir-estudar-planejar-avaliar*, na recriação permanente do sonho desejado; para que seu planejamento seja produto final conquistado.

SOBRE PLANEJAMENTO

I

Planejar é cumprir atividades em datas marcadas?

Como não viver burocraticamente o cumprimento das atividades nas datas planejadas?

Como vivê-las significativamente?

As atividades de um planejamento burocratizam-se quando o educador dicotomiza o conteúdo da matéria do conteúdo do sujeito e da dinâmica do grupo; ocasionando assim a perda do significado.

Dinâmica, conteúdo da matéria, e conteúdo do sujeito não estão dissociados. Um não existe sem o outro. Assim como não existe sujeito sem objeto de conhecimento a ser estudado, nem objeto de conhecimento sem sujeito que conhece. A ação, interação entre sujeito e objeto de conhecimento, é permanente.

O conteúdo emerge, explode da vida e, é na vida do grupo (dos sujeitos cognoscentes), que se constrói a dinâmica. Dinâmica aqui, entendida como fruto rítmico do jeito que o grupo vive o estudo dos conteúdos.

Como não matar, burocratizar, nem um nem outro?

Como vivê-los harmoniosamente, complementando-se no compasso individual e coletivo?

ESCOLA E FAMÍLIA

Como viver os conteúdos significativamente, enterrando o conteúdo morto, sem significado; reavivando o conteúdo vivo para fazer nascer conteúdos futuros?

II

O planejamento nasce na avaliação.

Através do planejamento pensa-se o passado e o futuro para a construção do presente.

O ato de planejar instrumentaliza o aprendizado do prever que desafios adequados propor. Neste sentido, qualquer planejamento tem como objetivos trabalhar a zona proximal, partindo da zona real dos sujeitos.

Somente através de um planejamento rigoroso pode-se organizar, delimitar, e objetivar uma intervenção adequada.

O planejamento, portanto, é o instrumental básico para a intervenção do educador. E, através dele é que se dá o desequilíbrio da hipótese do educando, ao mesmo tempo que se inicia o acompanhamento do processo de reequilíbrio pelo educador. Pois não basta desequilibrar. Cabe ao educador instrumentalizar o reequilíbrio da nova hipótese do educando. Como todo processo, este também não é autônomo, é cheio de idas e vindas, avanços e recuos.

O planejamento organiza, sistematiza, disciplina a liberdade individual e coletivamente. Ele dá os paradigmas para o exercício da prática pedagógica. Através dele podemos agilizar respostas diante do inusitado para trabalhar a improvisação. Neste sentido, o planejamento alicerça a ação criadora.

Questões centrais no processo do planejamento:

meus educandos já sabem o quê?

(zona real)

ainda não conhecem o quê?

(instigar a zona proximal)

devo ensinar o quê?

como ensinar?

quando ensinar?

onde ensinar?

Momentos do planejamento:

1. Avaliação;
2. Levantamento do processo das hipóteses do planejamento; esclarecendo objetivos gerais e específicos das atividades, envolvendo: materiais, tempo e espaço;
3. Acompanhamento do desenvolvimento da ação planejada; conferindo sua adequação ou não, suas possíveis mudanças etc;
4. Avaliação reflexiva do produto conquistado;
5. Replanejamento.

III

Planejar para quê? Por quê? O quê? Para quem? Com o quê? Em que espaço? Com que materiais? Por quanto tempo? Professor e coordenador têm planejamento distinto?

O *ato de planejar* exige do educador uma *ação organizada*. O improvisar é importante na ação pedagógica desde que o educador tenha consciência, controle do que está improvisando. Para isso ele terá que ter organizado seu planejamento. Ter uma ação planejada significa que o educador tem claro seus objetivos. O que espera alcançar com cada atividade ou com determinado encaminhamento.

Quando tenho os objetivos claramente delimitados, a improvisação que possa vir a ocorrer está sob meu controle.

Tenho consciência do porquê estou improvisando: determinada atividade que planejei não deu certo. Os motivos tenho que procurar, depois, na sua avaliação. Assim vivida, a ação improvisada é produtiva, aprendo com ela, aprofundo meu planejamento. O desafio, portanto, é viver o planejamento sem deixar de correr o risco de possíveis improvisações. A improvisação, desse modo, *faz parte* do planejamento *mas não é planejamento*. Neste sentido, o educador trabalha sua flexibilidade planejando.

O desafio de todo educador na construção do planejamento é conhecer o que planeja – conteúdo da matéria e conteúdo do sujeito. Esse é seu estudo. Para isso precisa estruturar os objetivos de sua prática que nortearão a organização de sua ação. Ação organizada não significa ação estática, mas ato constante de reflexão, de intervenção na realidade.

É através desse pensar cotidianamente que o educador *sistematiza* suas previsões sobre o que está querendo conhecer.

Portanto, na concepção democrática de educação, o ato de planejar não é meramente fabricar planos; ele é processo ininterrupto, permanente, cujo desafio é lançar-se na *re-elaboração* diária de novos planejamentos. Neste sentido o ato de planejar é processual, em que avaliação e planejamento constroem o produto.

Essa *re-elaboração* viva do planejamento está centrada na reflexão, no pensar da ação cotidiana. Nesse pensar temos momentos que, dentro do processo de planejar, intercomunicam-se.

No primeiro momento a observação é ferramenta básica. Os dados colhidos da observação nos levam a elaborar um *levantamento de questões* que nos remete à pesquisa, à análise, à reflexão, *ao estudo*. Esse é um momento de estudo na construção das hipóteses do planejamento.

No segundo momento, já com as hipóteses registradas (que nasceu do momento anterior), inseridas na ação, acompanhamos esta, segundo o que foi planejado.

O que está dando certo? O que não está? O que estou acrescentando? O que estou tendo que improvisar? etc. Este acompanhamento é a verificação dos encaminhamentos do planejamento, se estão sendo adequados, produtivos ou não.

Na verdade, este acompanhamento da própria ação que o professor, o orientador, ou o coordenador têm só é possível se tiverem o planejamento registrado.

É importante ressaltar aqui que o acompanhamento que o professor tem do seu trabalho com as crianças é o mesmo que o orientador ou coordenador tem com seus professores.

Acompanhar, na concepção democrática de educação, não é assistir, cobrar, mas sim, *interferir, questionar, problematizar*, germinando a *mudança*.

Acompanhar significa, também, buscar cotidianamente *sintonia entre meus objetivos e minha ação. Sintonia entre teoria e prática.*

O terceiro momento é a *avaliação* do produto conquistado – o conhecimento construído.

Nela repensamos tudo o que ocorreu desde o primeiro momento do levantamento das hipóteses e a sua execução em relação ao planejado. O que foi a mais, o que faltou, o que foi a previsão correta, o que não foi etc. É durante a avaliação que gestamos o novo planejamento e descobrimos que há erros que só podem ser descobertos depois de cometidos.

É, também, durante a avaliação que percebemos que estamos sendo capazes de prever possíveis *erros*, possíveis *hipóteses falsas*.

Pois é nesse momento que amarramos o vivido e *replanejamos* o futuro.

É nesta concepção que o planejamento é um processo ininterrupto, processual, organizador da conquista prazerosa dos nossos desejos em que o esforço, a perseverança, a disciplina são armas de luta cotidiana para a mudança pedagógica.

ESCOLA E FAMÍLIA

ERREI? ERRAMOS?

— Errei?

— Erramos?

Quem não erra, construindo sua hipótese?

Quem não erra para aprender?

Quem no seu planejar não almeja, imagina, "cutuca" em algumas situações, a mais do adequado?

Adequado que só é descoberto, constatado, depois do erro...

Avalanche de informações, conflitos, confronto com muitos novos desequilíbrios.

Ansiedade demais paralisa...

Mar agitado demais produz muita onda, faz tremer a embarcação e a condução do leme pode ser muito mais difícil...

O tempo da aula dificultou a condução do tempo?... Tempo de chuva sem virar tempestade seria o mais adequado? Às vezes, sim, às vezes, não...

Às vezes é necessário provocar só a chuva, outras a coordenação não controla o que pode virar...

Tempestade, para quem dirige o leme é bem mais complicado...

Maior perícia, lucidez, paciência e competência na condução do leme.

Talvez o mexido tenha causado calor, mormaço em demasia e a formação de nuvens carregadas de intensidade precipitou-se com a força e a violência de uma tempestade.

Tempestade que pode ter trazido danos, mas também desabafos. Desafogo de um céu limpo para alguns, até ensolarado, mostrando arco-íris, para outros...

AVALIAÇÃO

Na ação de avaliar pensa-se o passado e o presente para poder construir o futuro. Nesta concepção de educação, portanto, a avaliação é vivida como processo permanente de reflexão cotidiana.

É nesse sentido que o ato de avaliar é processual. Acontece na ação permanente de rever, refletir o passado para reconstruir o futuro no presente.

Aprender a avaliar é aprender a modificar o planejamento. No processo de avaliação contínua o educador agiliza sua leitura de realidade podendo assim criar encaminhamentos adequados para seu constante *replanejar*.

Observando, analisando e planejando seu cotidiano, o educador alicerça sua disciplina intelectual para a apropriação de seu pensamento teórico.

Não há ação educativa que prescinda de diretividade; a diretividade no nosso ensinar é mediada pelo exercício dos instrumentos metodológicos, da observação, da reflexão, da avaliação e do planejamento.

A observação, com seus focos, delimita o que queremos pesquisar, refletir, estudar: por isso mesmo ela traz o germe da avaliação. Ela diagnostica o que o grupo sabe – zona real do conhecimento –, e o que ainda não conhece – zona proximal do conhecimento. O processo de avaliação se inicia na observação e por sua vez os focos a serem observados constituem o planejamento da avaliação.

A avaliação retoma os focos do planejamento e estuda o processo vivido, seus impasses e conquistas – qual o produto alcançado. É neste sentido que toda avaliação é processual, acontece a cada aula, constituindo assim o embrião do planejamento da aula seguinte.

A reflexão faz a costura, a sistematização entre esses três movimentos: da observação para a avaliação e desta para o planejamento, e outra vez se reinicia a observação, a avaliação e o próximo planejamento. É neste exercício disciplinado que conseguimos sintonizar com os significados e faltas do grupo, tendo oportunidade de construir uma aprendizagem significativa, tanto com nossos alunos como com nós mesmos, no nosso ensinar.

PLANEJAMENTO E AVALIAÇÃO

Como seres humanos, somos marcados pela incompletude, pela falta, por nossos desejos.

Por sermos seres desejantes somos fabricadores de sonhos na busca permanente de suprir, conquistar o que nos falta, o que desejamos. Por isso somos seres de planejamento. Nossos desejos ganham forma, organizam-se no planejamento, ação que rege o nosso ensinar e aprender, em que buscamos resultados determinados.

Estamos sempre diante de projetos que nos levam a fazer escolhas, opções por caminhos, limites possíveis, a seguir no que planejamos. Quando não os temos sistematizado, caímos num ativismo alienado, "bombeiro pedagógico".

Quando, ao contrário, nossa ação é intencionalmente registrada, refletida, somos Militantes Pedagógicos – compromissados com nossa opção política, pedagógica, pois a ação de planejar não é neutra. Estamos sempre a favor ou contra o que desejamos, sonhamos; por isso mesmo, todo planejamento é um posicionamento.

Todo planejamento caminha em paralelo com a avaliação porque o planejamento:

- é hipótese a ser construída;
- nasce da constatação de faltas, saberes e desejos;
- portanto, nasce da avaliação do passado e ao mesmo tempo sonhando o futuro no presente que está se fazendo;
- está sempre permeado da ação reflexiva da observação focada. Ou seja, observação que delimita o que planeja observar, diagnosticar, avaliar da realidade pedagógica;
- toda ação de avaliar e planejar, está a favor do aluno, conflituando a reflexão do educador para que sintonize seu ensinar com os significados da aprendizagem dos mesmos;
- traça as hipóteses possíveis do caminho a seguir, a avaliação confirma ou redireciona os caminhos. Por isso são ações inseparáveis;
- a avaliação investiga, questiona os resultados obtidos e, ao mesmo tempo, volta-se para seu replanejamento, subsidiando o que falta conquistar.

Na ação de avaliar e planejar cabe ao educador:

- conhecer, entrar em sintonia, num exercício afinado focado da observação, com os saberes de seus alunos;
- saber dominar os conteúdos da matéria a ensinar;
- fazer intervenções problematizando, questionando a realidade significativa do grupo, encaminhando atividades, tarefas para possibilitar a elaboração do conhecimento;
- exercitar, cotidianamente, a avaliação de seu ensinar com o que de fato seus alunos aprenderam, pois a avaliação

ESCOLA E FAMÍLIA

é processual. Acontece no cotidiano, caso contrário, "caindo do céu", no bimestre ou semestre, será mais um atestado de óbito; já perdeu-se as chances de redimensionar os caminhos significativos do planejamento;

- estar compromissado com seu registro reflexivo sobre sua prática permanentemente, no qual vai tecendo seu diálogo entre prática e teoria, em que a avaliação, o planejamento, a observação, são armas de luta, para a construção da disciplina intelectual.

Somente na rigorosidade comprometida no cotidiano, com nossos desejos e opções poderemos construir nossa militância pedagógica, nossa âncora, onde pousamos algumas vezes cansados, desanimados, onde podemos tomar fôlego para continuarmos na luta, marcados por nossa incompletude, pela falta por nossos desejos.

FÉRIAS

O sol de minhas férias,
quero-o de volta,
quero-o sempre.
Hei de lutar os doze meses
Dia após dia, pelo sol quente dessas férias.

Que magia colocaram em seus raios?
Que calor calmante, perfumado
de terra e mar,
envolvia os dias?

Que magia explodia na luz
de cada dia,
que incandescia a alma
E a inspiração para o trabalho renascia?

Férias
Tempo de um gosto de vida próprio
Onde o encontro com um pedaço
inteiro de mim, se dá sempre.

Sol dessas férias,
quero-o de volta,
quero-o sempre.
Hei de lutar os doze meses
pelos doze, mil, milhares
inteiros pedaços de mim
presos, ainda em seus raios
perfume de terra e mar
luz incandescente energizante para voltar ao meu trabalho

ESCOLA E FAMÍLIA

Sol das minhas férias
Sol dos pedaços inteiros de mim
por quem sempre busco, tremo, teimo
luto, medrejo na teimosia
inteira de viver.

Não mais preciso da "peneira" para vê-lo
Vejo-o inteiro
Os olhos, a pele, resistem ao seu brasão intenso.
As primeiras queimaduras já descascaram, e a pele nova
mais forte já conhece a dor do brasão primeiro. Está madura para a próxima retomada à luta do dia-a-dia...

MILITANTE PEDAGÓGICO

O Fogo do Educador

Todo educador trabalha com fogo.

Fogo do desejo.

O desafio do educador é educar esse fogo. Fogo mal-educado, transforma-se em incêndio destruidor, porque indisciplinado não possibilita apropriação. A função do educador nessa prática é a de bombeiro das urgências, do praticismo.

Educador Bombeiro Pedagógico — pessoa acelerada — compulsiva	Educador Militante Pedagógico — pessoa dinâmica
• Não respeita o próprio limite (implica na própria onipotência, compulsão, impaciência, não trabalhando a falta, a perda, a raiva, a frustração);	• Respeita o próprio limite (implica no reconhecimento dos próprios limites, trabalhando faltas, frustrações, raiva, perdas na construção da paciência para a construção do prazer);
• Alienada do próprio ritmo reproduz o ritmo externo e é dominado "engolido" por ele, pela realidade;	• Sintoniza com seu próprio ritmo interno, limita o ritmo externo, a realidade;
• Não tem sua rotina apropriada, é engolido pelas urgências do praticismo da realidade;	• Tem sua rotina apropriada, limita e organiza os desafios da realidade;
• Não tem apropriado seu planejamento, não o exercita de modo sistemático;	• Tem apropriado seu planejamento e o exercício de sua sistematização é permanente;
• Pratica a onipotência compulsiva de querer controlar, ser capaz de fazer, participar de tudo para não sofrer faltas, frustrações, nem perdas;	• Pratica o reconhecimento cotidiano dos próprios limites e os da realidade;
• Pratica o "bombeirismo" das urgências do cotidiano, indisciplinado no praticismo alienante.	• Delega poder sofrendo perdas, frustrações, faltas para a apropriação de seus "aspectos humanos";
	• Pratica o exercício disciplinado do militante, possibilitando a construção de transformações na realidade pedagógica.

ESCOLA E FAMÍLIA

Fogo educado transforma-se em aquecimento interno, porque disciplinado, limitado, possibilita apropriação, intimidade, conhecimento do outro e de si próprio. Nesta prática, o educador torna-se um militante que luta no seu cotidiano para deixar a chama acesa, iluminando a construção de sua prática. Essa opção envolve trabalho árduo, sofrido, envolvendo enfrentando limites, perdas, frustrações, na construção de sua disciplina. Pois fácil é incendiar... difícil é deixar o fogo na chama, lamparina acesa, alimentando, aquecendo seu coração pedagógico.

O desafio é a tomada de consciência quando caímos mais no "bombeiro" do que no "militante" já que não existe pureza por sermos constituídos por nossas incoerências na busca da lucidez desta militância pedagógica.

Qual serão os impasses de seu momento atual?

-
-
-
-
-
-
-
-
-
-
-
-
-

Não tenho muito tempo.
Tenho só o tempo desse pôr-do-sol
dessa onda
desse suspiro de emoção.

Não tenho muito tempo.
Tenho só essa hora da manhã.
Com o fino dessa neblina
e esse frio em pleno verão.

Não tenho muito tempo.
Tenho só esse fim de tarde de domingo.
Com o tempo da serenidade
de meus sessenta anos
nesta vida de agora.

Pensando sobre a função do Educador

Há muitos tipos de educadores.

Há os que morrem, que deram sua alma à instituição, e transformaram-se em bons funcionários. Deixaram-se dominar pelo dominador. Perderam seu próprio nome, sua identidade. E porque perder o nome, a identidade de educador?

Por que se deixar ser chamada de "tia"?

Por que se deixar domesticar?

Por que esquecer dos sonhos?

Por que aceitar a morte da acomodação?

Todo educador trabalha para a vida e/ou para a morte.

Ter consciência, lucidez dos territórios de uma e outra é fundamental. A reflexão sobre a prática e a teoria são armas de luta para o árduo enfrentamento das batalhas do dia-a-dia.

Questões e questões

A minha reflexão de agora, é na verdade um amontoado de dúvidas, perguntas, questões, que ultimamente vem me assaltando.

Questões fundamentais com as quais vou para cama, tenho pesadelos, me levanto, e me acompanham durante o meu corre-corre diário.

Questões sobre nosso autoritarismo entranhado em nós, nosso espontaneísmo, tão autoritário que se esforça para negar sua raiz.

Questões sobre nossa acomodação parada, que pouco a pouco nos anestesia de nós mesmas, dos outros e do mundo.

Questões sobre nossa omissão calada, quieta que nos afasta da ação, do fazer, do construir, do transformar, do se apropriar de nós mesmas.

Questões sobre nossa afetividade, nossa agressividade, nosso ódio, nossa paixão que, tantas vezes, não assumimos – temendo o envolvimento, temendo a entrega aos outros e a nós mesmas.

Questões sobre nosso medo autoritário às críticas, nossa intolerância às divergências, nossos fantasmas de destruição, terminam realmente nos destruindo, calando-nos, distanciando-nos, alienando-nos de nós mesmas.

Questões sobre nossa dificuldade em assumir a autoridade, o poder, no mundo dos "negócios" que na nossa cabeça pertence aos homens.

Questões sobre nossa dificuldade em lutar pelo espaço que é nosso, que nos pertence.

Questões sobre nossa dificuldade de lutar pelo SONHO, assumindo o presente, o agora, construindo-o dentro de nossos limites, da nossa realidade.

MUDAR

Toda mudança acontece num processo de pequenas e grandes descobertas.

Toda mudança acontece num processo de pequenos e grandes clarões de consciência.

Toda mudança acontece dentro de um ritmo individual e coletivo.

Toda mudança acontece em pequenos e grandes sustos de ansiedade e agonia.

Toda mudança acontece num clima de trabalho de parto, contrações, respirações ofegantes e por fim, alívio das dores: com o nascimento do sujeito pensante assumindo-se.

Toda mudança acontece na briga entre o velho e o novo.

Toda mudança acontece fazendo-se, e ao mesmo tempo, esperando-se pelo produto do *amanhã*, que começa fragilmente a dar sinais *hoje*.

Para que a mudança possa ser construída é necessário não assustar demais seus atores... Para cada encontro, um planejamento delimitado, do que se *quer* e se *pode* "atacar". Outros tantos ficarão para os próximos...

Para que a mudança possa ser construída é necessário ter clareza do que se vai "cercar", no todo, ou só em alguns de seus aspectos. Planejando, para próximos encontros o que falta.

Para que a mudança possa ser construída tem-se que garantir o clima de respeito e generosidade para com o processo de aprendizagem de cada um.

Para que a mudança possa ser construída é necessário fé na capacidade de todos aprenderem, crescerem.

Para que a mudança possa ser construída é necessário ir devagar com o novo...

Caso contrário a "muralha" da resistência será erguida. Não basta dizer o que se deve fazer, mas convencer os outros no que eles devem procurar fazer. Por isso é uma construção e não simplesmente uma reprodução obediente por parte do outro.

Para que a mudança possa ser construída é necessário enfrentar o medo, os fantasmas (ciclones, camelo albino, ondas gigantescas, tsunamis e outros que não estouram, dinossauros, tartarugas que voam, trovoadas), correndo riscos de queda, mas sabendo que o medo é termômetro do embate do velho com o novo.

Para que a mudança possa ser construída é necessário muita, muita paciência, para vivermos o dia-a-dia, aula a aula, "vida a vida".

A cada dia, a cada aula, há um produto, não ainda o que queremos alcançar, mas o que é possível, real, para aquele momento do processo.

Paciência, Tolerância, Fé, Esperança são elementos fundamentais para a construção da mudança.

Paciência e Tolerância com as próprias dúvidas, inseguranças, agonias e ansiedades.

Fé na própria capacidade, competência, e na dos outros.

Esperança na construção da espera, encarando-a no tempo do cotidiano, fazendo e refletindo, permanentemente, sobre as quedas e quebras da atenção, concentração, rigor, apostando que a luta vai valer a pena.

Construir a esperança "esperançando" exige *ter* e *dar tempo ao tempo*, para que "algo nos aconteça, nos toque!", para que vivamos experiências únicas, para sermos levados, conscientes e plenos, pela vida, na construção e gestação do sonho que se faz hoje.

ESCOLA E FAMÍLIA

Sobrevivi.
Vivi sobre mim
em pedaços
morrida sobre meus próprios escombros.
Sobre mim.
Sobrevivente
de mim
me ergui
sobrevivi...

DIALOGANDO

©Francisco Brennand

AI DE MIM...

Ai de mim, vida minha
"primeiro ano", assessorias, palestras, "Vila Helena".

Ai de mim, vida minha
minhas quatro filhas
meus cachorros, meus gatos, meu pássaro preto
minhas plantas.

Ai de mim, vida minha
brigando contra o comodismo,
anestesia autoritária, na Vila Helena.

Ai de mim, vida minha
Ton-Ton e Dudu "bicudos", reclamando
porque faltei ontem.
Aline que reclama da dureza
da intervenção que a provoca
para crescer.

Ai de mim, vida minha
grupos que crescem
que será de mim?
Vida minha...

Ninguém aprende sem modelo

Entrevista concedida por Madalena Freire à
equipe da *Pré-Escola em Revista* do "Projeto Reis Magos"
da Secretaria Municipal de Educação de Natal,
durante o I Encontro de Educação Pré-escolar realizado
pelo Núcleo Educacional Infantil da UFRN em agosto de 1992.

Na alternativa de trabalho pedagógico proposta pela sra. existe uma preocupação com o planejamento do dia-a-dia da pré-escola. Esta preocupação é vinculada à questão do interesse em fazer educação da melhor forma possível em qualquer contexto socioeconômico. Diante dessas colocações, gostaríamos de saber o que se deve priorizar nesse planejamento e como o erro da criança é encarado?

Olhe, eu acho que o que se deve priorizar é: primeiro, se ter a certeza de que o planejamento é um processo de construção que tem etapas. Uma primeira etapa do planejamento já nasce na avaliação. Quando vou planejar meu próximo ano, ou meu próximo dia, parto da avaliação que fiz (ou do semestre, ou do ano passado, ou de ontem). Vendo o seguinte: o que foi que aconteceu? O que é que eu constatei? Qual era meu planejamento? E o que é que tiro de aprendizado? O que é que vejo de coisas, de situações, nas quais eu derrapei, por não serem adequadas? E, o que é que eu vejo de pistas ou de pontos positivos para o próximo planejamento do semestre, do mês ou do dia?

Quando digo planejar o semestre, falo de conteúdos centrais, não das atividades, porque essas atividades só vão poder ser construídas de acordo com a leitura significativa do grupo.

DIALOGANDO

Então, a primeira coisa é ver que o planejamento é um processo com movimentos e com fases. A primeira delas já nasce na avaliação e, a segunda, na compreensão de que o planejamento é composto por objetivos e por conteúdos que vão ser trabalhados (ensinados). Estes conteúdos têm: *o porquê ensinar tais conteúdos; o como ensinar; o quando ensinar* – isso também faz parte do planejamento.

O planejamento fecha seu ciclo, ou arredonda-o, ou ganha a sua espiral caindo outra vez na avaliação, ou seja, começou avaliando para planejar, planejou-se, viveu-se e cai-se outra vez na avaliação, no sentido de que se retoma o processo para replanejar.

Quanto à questão do erro, ela é vista como constitutiva do processo de construção, ou seja, para construir eu teço hipóteses. As hipóteses são adequadas (certas) quando respondem à necessidade do momento, ou são inadequadas (erradas) quando não respondem à necessidade do momento. Nesse caso, houve desvio porque a hipótese possibilitou coisas que não foram produtivas. Então, o erro é uma hipótese falsa, uma hipótese inadequada, mas é válido lembrar que é impossível se ter a hipótese adequada, sem ter a inadequada. Então, o erro é parte constitutiva tanto do construir, como do planejar.

A sra. enfatiza que para educar é necessário: intervenção, encaminhamento e devolução. De acordo com essas necessidades previstas, como é possível evitar o autoritarismo, se o primeiro ponto abordado – a intervenção – se encontra perpetuado na visão tradicional de educação?

A intervenção autoritária é castradora porque não está situada no espaço de liberdade, então ela estagna, pára o processo de pensar. A intervenção é mais para o aluno calar a boca do que para fazê-lo pensar.

A intervenção na concepção democrática produz reflexão, pensamento – no sentido de perguntar, de duvidar, de romper – tendo a clareza de que somos autoritários, frutos do autoritarismo e da intervenção não democrática, podemos ver que existe uma outra maneira de construir intervenção. Agora, a opção por essa maneira ou não, é outra coisa.

A sra. fala sobre a importância da observação, da experiência, do registro, do interesse e do desejo de educar. Diante disso, qual sua posição sobre o conceito deturpado de construtivismo (de alguns educadores) que consideram possível e cabível deixar que as crianças passem quatro anos esperando para aprender a ler e a escrever, levados pela questão do tempo e do ritmo?

Isso é um desvio. Coitado do Piaget, coitada da Emília. É um desvio no sentido de que é um mal-entendimento dessa teoria. Quando Piaget falava em processo – de construção do ritmo de desenvolvimento da criança –, não queria dizer que esse processo é um processo natural. Ele não foi tão enfático como Vygotsky que de cara já acentuou a questão da importância social para esse processo.

O social não é natural, no sentido de que fatalmente a criança vai crescer, se desenvolver, vai percorrer todas suas hipóteses, dentro de um contexto social que se impõe, obriga a um comportamento, a uma ação social por parte da criança, portanto a questão de acompanhar o processo de desenvolvimento e da aprendizagem não significa deixar que a criança fique com ele nas mãos. É o educador que acompanha, que direciona. Agora, como acompanhar e direcionar produzindo intervenções alimentadoras e não castradoras é que é difícil. Aí é que há a diferença entre o autoritário e o democrático.

DIALOGANDO

A sra. dá ênfase a uma espécie de assessoramento aos professores, feito na escola, para um melhor encaminhamento do processo de ensino-aprendizagem. Diante desta afirmativa, gostaríamos de conhecer seu posicionamento sobre uma campanha que existe em nível nacional para tirar dos Cursos de Pedagogia o direito de formar Administradores Escolares, Supervisores e Orientadores. E quais as implicações disso para o trabalho na escola?

Eu tenho a impressão que esta é uma falsa questão e acredito que não vai se resolver a questão do Supervisor, do Administrador e do Orientador extinguindo-os. O que precisa ser feito é repensar qual é a função desses profissionais que acompanham o processo de educação do professor, porque o professor necessita do educador que o acompanhe, o coordenador necessita de um educador que o acompanhe... Então, acho que a questão é falsa, porque não é extinguindo os cargos que se vai resolver o problema sem repensar qual é a função desses profissionais e por que eles existem e para quê.

A sra. poderia fazer uma distinção entre as práticas: tradicionais, espontaneístas e democráticas, tendo como parâmetro a questão do uso do modelo?

Como é que na concepção autoritária, um educador autoritário vive, pratica, exercita? Ele é modelo porque modelo todo educador é. Mas como é que na prática autoritária ele vive essa questão? Ser modelo para ele é ser parâmetro de cópia permanente, que não pode ser duvidado, que é dono da verdade e que é o dono do jeito melhor – ele é o modelo melhor. Então, esse modelo é cristalizado, ganha uma casca que nunca cai, que é sempre a mesma, que não é recriado, é só copiado.

Na concepção espontaneísta, o educador, por querer negar o próprio autoritarismo, ou por querer negar e buscar outra concepção não autoritária, cai num outro extremo. Isso porque, no autoritarismo, o modelo é o único que dita a cópia. No espontaneísmo, se nega, se morre de medo de ser modelo, imaginando que pode existir autoridade que não seja modelo (toda autoridade é modelo). Nesse sentido, a diferença entre essas práticas está em como cada um vive o modelo. A autoritária vive do jeito que falei no início, a espontaneísta julga que resolve esta questão (de não ser modelo autoritário) negando o exercício assumido do modelo, quando afirma: "– Não, eu não sou modelo. Não, eu sou igual a todo mundo, porque nossa relação é de igual". Com isso ela nega a possibilidade de aprendizagem do educando, pois ninguém aprende sem modelo. Aprende-se imitando, copiando um modelo. Quando se nega ser modelo, favorece a imersão de modelos autoritários entre os educandos. Então, quem vai ser modelo é um aluno que começa a ser copiado pelos outros, por isso se encontra em algumas salas, um aluno que manda em todo mundo.

Dessa forma, o espontaneísmo, com esta prática de negar o modelo, não resolve a questão da conquista do ser recriado, ou de recriar o modelo, cristaliza-se o igual ao modelo autoritário, pois não possibilita que o educando, copiando ou imitando comece a questionar.

Na concepção democrática, o educador assume-se como modelo porque sabe, admite, aceita que a aprendizagem é alicerçada na imitação e na cópia. Num primeiro movimento, a imitação e a cópia precisam de modelo para ser um parâmetro de pensamento. Um parâmetro de aprendizagem para que, sendo instrumentalizado, checado, questionado, possa começar a ser recriado. Sendo assim, num primeiro movimento, o educando copia imitando fielmente (tem que ser igual, fazer igual). No segundo movimento, este representa com as próprias palavras o que o modelo representa. Isso se dá, em todos os momentos de nossa aprendizagem, como, por exemplo: se você ficha um livro, você não consegue dizer de cara tudo com suas próprias palavras, você copia trechos e etc. Já no terceiro movimento de recriação do modelo, passa a perceber que é diferente (eu não sou ele, ele me inspira em algumas coisas, mas eu faço do meu jeito).

Gostaríamos que a sra. deixasse um recado para os educadores da pré-escola.

O recado é o seguinte:

"Continuem a luta para buscar construir essa escola que queremos e precisamos reinventar. Busquem reivindicar o acompanhamento ao qual vocês têm direito. Lutem para que suas práticas possam ter um espaço de reflexão para que o sujeito (o aluno) se aproprie e se construa na sua autonomia e na sua liberdade. Ninguém aprende sem modelo."

A OBSERVAÇÃO, A REFLEXÃO, A CRÍTICA, A INTERVENÇÃO TUDO ISSO É ARMA DE LUTA, TUDO ISSO É ARMA PEDAGÓGICA

Entrevista concedida por Madalena Freire ao
Caderno de Valores Humanos – Projeto MEC/Nestlé
de valorização de crianças e adolescentes,
9° Concurso Nacional de Frases, 2006.

Qual a importância dos valores humanos para a formação das crianças?

No ato de ensinar, a matéria-prima do educador não é só o conhecimento, mas a pessoa humana – que conhece, que aprende, que cresce, que transforma. E essa pessoa humana não é só razão, ela é amorosidade. Mesmo porque nascemos, todos nós, de dois que se amaram. Dois já é grupo, já é geneticamente social. Só aprendemos quando fazemos vínculos, de amor ou de ódio. Cabe dizer que o oposto do amor não é o ódio, o oposto do amor é a indiferença – indiferença do não ver, do não escutar, do não respeitar o diferente. É pelo outro que eu vejo quem sou eu.

Quando passamos a ir para a escola, inaugura-se o que se tem de mais primordial na vida humana, que é a introdução ao espaço público. Tanto na escola quanto em casa, a educação se dá diante de modelo, diante de autoridade, diante de parâmetros que sinalizam as coisas certas e erradas da vida. E tanto no grupo primário, que é a família, quanto no grupo secundário, que são os profissionais da escola, isto se afrouxou.

Chamar a atenção para os valores humanos faz-se importante justamente porque se deixou de lado estes parâmetros que regem a convivência harmônica. Diante desse mundo de hoje, mais do que nunca precisamos resgatar esses valores.

Quais deles você considera mais importantes?

Todos são essenciais. Mas, antes de tudo, penso no zelo – o cuidado, a atenção, a escuta, a observação. Nós somos muito frágeis. Estamos suspensos por um fio de seda. Basta um vento maior e a morte nos flagra – a morte ética, a morte do cidadão, o acovardamento, a mesquinharia, a corrupção.

Depois, em ordem de grandeza, pensaria na fé: a crença na aposta da competência e da capacidade de todo o humano. Todos podemos, todos somos capazes. Todos temos direito, todos merecemos a aposta. O respeito também é fundamental. O respeito, a lealdade, a verdade. São tantos os valores que precisam ser resgatados e recuperados nesses tempos...

É possível ser otimista, acreditar que estes valores podem fazer a diferença em um mundo como este?

Meu pai, Paulo Freire, dizia que esperançar é um verbo. Esperançar no sentido de que eu acredito na vida, no outro. Tem solução. Agora, ao mesmo tempo a vida não tem solução, no sentido que a vida é problema o tempo inteiro. É falta, é cheia de limites. Só quando se "jaz em paz" é que há uma solução, individual. A vida não tem solução. Ela é muito complexa. Mas pode-se apostar no possível. Pode-se investir, não em salvar o mundo, porque ninguém salva sozinho, mas em se salvar junto com os outros.

Na medida que eu me assumo, que dou o meu testemunho, vou junto com muita gente. Isso é a esperança. Eu ilumino muita gente e muita gente me ilumina. E a gente se segue. Essa é a aposta, em realidades, as mais diversas, as mais exploradas. Se existe a pessoa humana, há possibilidade, há mudança, há esperança. Por isso gente é a matéria-prima da educação. Ela é que faz a diferença.

Quais ferramentas os educadores podem utilizar para abordar os valores humanos?

Os educadores têm exemplos mil dentro e fora da sala de aula. Explodem assuntos. O menino passa e joga o lixo no chão, ou ofende o colega. Tudo isso é vivo, tudo isso está ali, acontecendo. E aí? O que se pode fazer? A reflexão crítica é uma ferramenta essencial. Diante de uma situação, tenho que me impor, que questionar. A observação, a reflexão, a crítica, a intervenção – tudo isso é arma de luta, tudo isso é arma pedagógica.

Além destas, há armas valiosíssimas, como por exemplo, ler histórias em que os valores morais – como a virtude, a honestidade, a verdade, a compaixão, o respeito – estejam presentes. E nós temos muitas disponíveis na literatura.

O desafio é que o educador, dentro do seu universo de aprendiz – porque ele é aluno dele mesmo o tempo inteiro –, busque todos esses espaços e oportunidades. Ele tem que tomar consciência do lugar em que está, daquilo que representa. Se ele é referência no espaço público da escola, ele tem uma responsabilidade, ele é uma pessoa pública. Pessoa pública não é só aquela que escreve no jornal, que está na televisão ou que publica livros. Pessoas públicas são aquelas que cuidam do espaço público. E o educador é uma delas.

DIALOGANDO

Como pais e professores devem lidar com os valores, muitas vezes nocivos, transmitidos pela televisão?

As crianças hoje têm acesso a um banho de informação, e não é só pela televisão. Todo o educador, tanto em casa quanto na escola, deve estar atento a esta questão. A infância é indefesa e, portanto, há que se tomar cuidados preciosos.

Primeiro: delimitar a exposição da criança ao mundo: "Você não vai assistir televisão o tempo todo, não! Você não vai ficar o tempo inteiro na internet, não!". Há que se impor limites, ainda mais nesse mundo feroz e violento. É preciso entender que delimitar é cuidar. O problema é que muitas vezes achamos que delimitar, por exemplo, os programas que as crianças assistem ou não, é ser autoritário.

Segundo: acompanhar, discutindo e conversando, o que a criança observa do mundo. Na medida do possível, pai, mãe e filho deveriam ver alguns programas juntos. Nada de separar a família na hora de programas de criança e de adulto. Novela, jornal, programa de reportagens, infantis. É interessante que pais e filhos compartilhem esses momentos. Eles são extremamente ricos em exemplos e assuntos. Se usados como pretexto para educar, para transmitir valores, são um prato cheio.

Isso vale para os professores também. As crianças trazem os programas de televisão e as notícias de jornal para a escola. Os professores podem usar essas ferramentas em sala de aula. Podem propor assuntos baseados no que a televisão mostra. Isso faz parte da realidade dos alunos. Ainda que sejam notícias horrorosas, que os professores se posicionem diante delas; que sejam parâmetros de crítica em relação ao mundo.

Você considera que, ao longo dos últimos anos, demos passos importantes na educação?

Sim, estamos dando. Também com retrocessos. Na verdade o processo está sendo feito de avanços e recuos. Eu acredito que para construir este educador – zeloso, atento, respeitoso – precisamos construir uma estrutura na instituição escolar que o veja como um personagem precioso. Há dois grandes personagens na escola: o professor e a criança. Em algumas realidades eles são valorizados, em muitas outras, não.

O que quero dizer é que o processo de formação do educador é mola mestra de mudança. O acompanhamento, a valorização, a preparação desse profissional são essenciais. Estou falando de coisas bem concretas. O diretor e o coordenador pedagógico têm funções importantíssimas: precisam acompanhar esse professor na sala de aula, conhecer suas dúvidas, suas limitações; saber de seus desafios, de seus problemas. Um diretor e um coordenador que não assumem os professores deixam os alunos também abandonados. E, no abandono, ninguém aprende nada.

Veja o processo de aprendizagem funcionar nas escolas em que há espaço para a reflexão dos professores: há dia, hora, lugar para reuniões. Há oportunidade para discutir, trocar idéias e problemas. Há chance de estudar a prática, a teoria. Ter garantido esse acompanhamento é fundamental para a construção desse sujeito humano respeitoso e esperançoso.

Qual, afinal, o fim dessa série de valores que nos falam que são tão importantes?

O fim é demonstrar que a vida vale a pena. E que não tem fim, não é? A finalidade da existência de cada um é testemunhar que a vida vale a pena. Que a vida é uma bênção. Que gente é presente para o outro. Que a vida é curta, frágil; que deve ser vivida ao máximo, celebrada. Mas isso tudo exige cuidado, zelo, respeito, amor, amizade, lealdade, fé, coragem. É a vida humana.

ESTUDAR A PRÓPRIA PRÁTICA, UMA COMPETÊNCIA A SER DESENVOLVIDA

Entrevista concedida por Madalena Freire à revista *Aprender Juntos*, edição maio-junho de 2007.

Madalena Freire tornou-se, ao longo dos últimos vinte anos, uma das educadoras mais conhecidas do Brasil.

Numa trajetória diferenciada, construiu sua história na prática diária. Pedagoga graduada pela USP e uma das fundadoras da Escola da Vila e do centro de formação Espaço Pedagógico, Madalena Freire vem levando a professores de escolas de todo o Brasil a mensagem de que a educação se faz no diálogo permanente e criterioso entre prática e teoria, que se constroem a partir do cotidiano vivido.

Em meados de março, entre viagens que costuma fazer por diversos estados brasileiros, Madalena recebeu a revista *Aprender Juntos* para a entrevista que se segue.

Como você começou a trabalhar com educação popular e alfabetização?

Depois que publiquei *A paixão de conhecer o mundo*, em 1980, recebi críticas de que aquilo que eu propunha só era possível com a classe média, com filhos de pais liberais. Isso me deixou indignada e fui desenvolver um projeto de pesquisa ligado a classes populares. Com bolsa de pesquisa da Fundação Vitae, fiquei dez anos em uma experiência com crianças de Educação Infantil em uma favela da Vila Helena, em Carapicuíba, para provar que uma criança pobre, tanto como uma de classe média, tem o mesmo potencial de desenvolvimento se a escola está em sintonia com a realidade social e cultural daquela criança, que tem toda a capacidade de ler e escrever aos 6 anos.

Como o trabalho cresceu muito, tive que formar pessoas para trabalhar comigo, e essa experiência acabou levando à formação do Espaço Pedagógico, cujo projeto levava em conta alguns pilares centrais para a formação do educador.

Que pilares são esses?

O primeiro pilar, sem dúvida, é a importância do professor, do coordenador, do orientador, do diretor. É, enfim, construir a reflexão desses profissionais por meio de um resgate da prática. Muitas vezes, os professores ouvem pesquisadores estrangeiros, como espanhóis e portugueses, falar sobre a importância do registro escrito como exercício básico de estudo da teoria e da própria prática, mas não se dão conta de como isso é difícil. Estudar a própria prática é uma competência a ser desenvolvida. Então, proponho uma realfabetização do educador, no sentido amplo de torná-lo um leitor, decifrador da realidade pedagógica. O educador precisa buscar o que está por trás daquilo que está vendo na prática: o que o menino que bate em outro está dizendo com isso, que sentido, que significado se pode dar a esse comportamento. O professor torna-se, então, um leitor do mundo, que escuta, dá novos significados ao que ouve e, por isso, está em permanente processo de estudo reflexivo da realidade.

Que outro alicerce você propõe para a formação do professor?

Um outro pilar é obviamente o estudo teórico. Tudo aquilo que não damos conta na prática pedagógica, tudo aquilo em que derrapamos, nossa dificuldade de entrar em sintonia com o grupo ou com o aluno, tudo o que não flui na relação entre ensinante e aprendente é o que falta de luz teórica. É o que não sabemos. Mas não é um estudo descolado do real. Ele será o próprio registro. O estudo da prática pedagógica será a ferramenta da consciência político-pedagógica desse educador. A linha quem deve dar é a prática. O conhecimento, as informações vêm pelos poros, de todas as direções, e é o corpo dele, educador, que processará todas as informações.

Como transformar o estudo da prática em ferramenta da consciência político-pedagógica do educador?

Uma das propostas inclui, por exemplo, o resgate de sua própria alfabetização: convidamos o professor a trabalhar as lembranças desde sua infância, coisas que reavivam seu processo de alfabetização. Será que ele se lembra se começou a tomar contato com a leitura por uma cartilha, pelas histórias que o pai contava, pelo anúncio de coca-cola? Ao tomar consciência da lembrança, ela se transformará em memória. A lembrança está no reino das coisas que se esvaem; a memória é registro, um ato de comunicação, que os animais não possuem, é o diálogo mesmo que travamos, solitários, com os mil outros que vivem dentro de nós. Ao reavivar lembranças, o professor percorrerá um caminho de busca de coerência e de essência. Ao registrar, fará uma lapidação, um questionamento, uma checagem das memórias. Esse caminho nem sempre é fácil.

Trata-se de um aprendizado sempre prazeroso?

Não, simplesmente porque aprender não é espontâneo, nem natural. Em certo sentido, aprender dói, pois se dá no trabalho com a ignorância. É um confronto com a falta, com o limite, com o desejo. Muita gente imagina, nos desvios do construtivismo, que aprender tem de ser gostoso, prazeroso, lúdico... Não é nada disso: dói. Não é a dor eterna, mas a dor do início da construção da disciplina intelectual. O prazer só vem depois, como em um parto.

Como você entende a autoria do professor?

Autoria é o professor implicar-se no que faz, tornar-se dono de sua impressão digital. É preciso que o professor compreenda: ninguém fará por ele, ninguém mais, senão ele mesmo autor de sua própria história. Isso significa, por exemplo, criar tempo para o registro de sua ação, para a observação, para a leitura da sua prática. Ora, o tempo não cai do céu, não é uma doação. Precisamos criar o tempo para tê-lo, seja em âmbito interno, seja em âmbito externo. Importa nossa decisão de parar, fazer pausas. Atualmente não há coisa mais difícil do que parar, do que por limite ao bombardeio de informação, dizer "fim", dizer "nunca", não cair na mediocridade. É preciso assumir o seu desejo de educador, para isso é necessário desestabilizar-se, tirar-se da anestesia da desmotivação, começar. Não interessa se o tempo conseguido é de dez minutos: se parou, escreva uma frase. E, a partir daí, começam os passos seguintes.

Que passos são esses?

Dar tempo a si mesmo para construir o registro reflexivo é decisivo, mas o educador que está diante de seus alunos, em um grupo, tem certas vigas mestras. Em qualquer concepção teórica, toda aula se baseia (1) no conteúdo a ser ensinado; (2) no modo próprio de ensinar (como ensina, se intervém ou não, se busca um ensino centralizado ou descentralizado...), e (3) em planejamento (constituído por objetivos, atividades, propostas). Para tudo aquilo que ensina, o educador precisa se perguntar sobre quais atividades vai propor, como vai avaliar e que resultados espera alcançar. Todo educador também tem um grupo e, nesse grupo, acompanha os processos de aprendizagem individuais. Ninguém está fora dessas vigas. Então, a reflexão exige do educador dar-se conta do que aconteceu. Consegui ter clareza em relação aos conteúdos? Em qual deles bobeei? São questões que se colocam em relação ao ensinar (a reflexão crítica que eu mesmo me faço: "– Tô perdida, não entendi nada do que aconteceu hoje"), em relação ao grupo ("– Estava disperso, não tive a menor sintonia.") e em relação aos indivíduos.

O grupo é decisivo para a construção da autoria?

Para a construção da autoria do sujeito afetivo, criador, autor, cognitivo, o grupo é decisivo, e não existe nada mais vital do que aprender a viver em grupo. Construir-se junto com os outros, exercitando sua tolerância, sua humildade. Paulo Freire dizia que não existe mais ética pontual, mas uma ética universal ou como diz Edgar Morin, uma ética planetária. Cada vez mais, no mundo contemporâneo, educar-se no grupo é fundamental. É uma teia de fios descobertos, que vira-e-mexe dá curto-circuito, incêndio, choque. Por isso, na formação do professor, é essencial o tempo da reunião pedagógica. O que segura a formação é o grupo-escola, assim como o que nos segura na vida privada é a família.

O mesmo vale para o trabalho em sala de aula?

Claro. Cada um de nós carrega a sua própria história, mas é no grupo que ela é apresentada ao outro. Por isso, o professor deve estar consciente de que a questão não é pessoal, não é com ele, mas entre as histórias deles. Para isso, precisa estudar (inclusive autores que falam sobre grupo) e acompanhar o processo de aprendizagem individual, sejam doze, sejam 25, sejam 40 alunos. Se forem muitos, a cada aula o professor deve se propor a observar, a partir de uma questão muito precisa, o desenvolvimento de alguns alunos. Como reagiu diante do colega que o vem agredindo, se chegou mais tranqüilo ou não, se conseguiu dividir o material, se conseguiu se expor. É preciso construir uma pauta focada de observação, com uma questão predefinida. Se o fizer de cinco em cinco alunos, por aula, no final de um mês terá uma radiografia do processo de acompanhamento dos percursos individuais.

Em suas conferências, você tem reiterado a convicção de que ensinar é a função principal do professor. Trata-se de uma resposta a alguma moda ou tendência?

Digo sempre que não jogo essa palavra fora. Dentro de uma sala de aula, todo educador ensina. Como ele ensina, como ele concebe o ensinar, o processo de construção do conhecimento, tudo isso é outra coisa, mas todos ensinam. Isso quer dizer que ele tem uma concepção sobre ensinar e aprender e, na maior parte do seu tempo, faz intervenções, mediações, encaminhamentos, devoluções. Mas a essência da atividade do educador é ensinar. Eu ensino fazendo intervenções, questionando, mediando. Por si só, o ato de ensinar é diretivo: ninguém ensina sem diretividade. O que não significa ser autoritário. O educador sempre sabe mais que seu aluno: mas, na visão autoritária, é aquele que sabe tudo. O avesso da relação autoritária é a atitude espontaneísta: o educador achar que aprender é natural e que ele está em pé de igualdade com aluno. Sem dúvida, aprendemos com os alunos, mas nunca como um igual. No avesso, a autoridade está centralizada no aluno.

DIALOGANDO

PARA ESTUDAR

ALARCÃO, I. et al. *Formação reflexiva de professores*: estratégias de supervisão. Porto: Porto, 1996.

ANZIEU, D. *O grupo e o inconsciente*: o imaginário grupal. São Paulo, Casa do Psicólogo, 1993.

ARENDT, H. *Entre o passado e o futuro*. São Paulo: Perspectiva, 1972.

_____. *A condição humana*. Rio de Janeiro: Forense-Universitária; São Paulo: Salamandra, Edusp, 1981.

ARNHEIN, R. *Arte e percepção visual*: uma psicologia da visão criadora. São Paulo: Pioneira, 1980.

ASSMANN, H. *Reencantar a educação*: rumo à sociedade aprendente. Petrópolis: Vozes, 2004.

BARBOSA, A. M. *A imagem no ensino da arte*: anos oitenta e novos tempos. São Paulo: Perspectiva Porto Alegre: Fundação Iochpe, 1981.

_____. *Arte-educação*: conflitos/acertos. São Paulo: Ateliê Editorial, 1997.

_____. *Teoria e prática da educação artística*. São Paulo: Cultrix, s.d.

BARTHES, R. *Aula*. São Paulo: Cultrix, 1978.

_____. *Fragmentos de um discurso amoroso*. Rio de Janeiro: Francisco Alves, 1995.

BION, W. R. *Experiências com grupos*. Rio de Janeiro: Imago; São Paulo: Edusp, 1975.

_____. *Aprender com a experiência*. Rio de Janeiro: Imago, 1991.

BLEGER, J. *Temas de psicologia*: entrevista e grupos. São Paulo: Martins Fontes, 1980.

BOSI, A. *Reflexões sobre a arte*. São Paulo: Ática, 2001. (Série Fundamentos)

CASSIRER, E. *Antropologia filosófica*: ensaio sobre o homem. São Paulo: Mestre Jou, 1977.

CHAUÍ, M. *Merleau-Ponty*: obra de arte e filosofia. In: NOVAES, A. et al. *Artepensamento*. São Paulo: Companhia das Letras, 1994.

CHARLOT, B. *A mistificação pedagógica*: realidades sociais e processos ideológicos na teoria da educação. Rio de Janeiro: Zahar, 1972.

DELOR, J. *Educação um tesouro a descobrir*: Relatório para Unesco da Comissão Internacional para o Século XXI. São Paulo: Cortez, 1999.

DEMO, P. *Saber pensar*. São Paulo: Cortez, 2000.

DEWEY, J. *Como pensamos*. São Paulo: Nacional, 1953.

_____. *El niño y el programa escolar: mi credo pedagógico*. Buenos Aires, Editorial Losada, S.A., 1959.

_____. *Experiência e educação*. São Paulo: Nacional, 1971.

_____. *A arte como experiência*. São Paulo: Abril Cultural, 1974. (Coleção Os Pensadores)

_____. *Democracia e educação*. São Paulo: Nacional, 1979.

_____. *Experiência e natureza*. São Paulo: Abril Cultural, 1980 (Coleção Os Pensadores).

DIAS, R. M. *Nietzsche educador*. São Paulo: Scipione, 1993.

DOWBOR, F.F. *Quem educa marca o corpo do outro*. São Paulo: Cortez, 2007.

DUARTE JR, J. *Fundamentos estéticos da educação*. Campinas: Papirus, 1988.

FREIRE, P., SHOR, I. *Medo e ousadia; o cotidiano do professor*. Rio de Janeiro: Paz e Terra, 1986.

FREIRE, P. *Pedagogia do oprimido*. 17. ed. Rio de Janeiro: Paz e Terra, 1987.

_____. *Pedagogia da esperança*: um encontro com a *Pedagogia do oprimido*. Rio de Janeiro: Paz e Terra, 1993.

_____. *Professora sim, tia não*. São Paulo: Olho d'aqua, 1993.

_____. *Pedagogia da autonomia*: saberes necessários à prática educativa. 12. ed. São Paulo: Paz e Terra, 1999.

FREIRE, M. Dois olhares ao espaço-ação na pré-escola. In: MORAIS, R. (Org.) *Sala de aula*: que espaço é esse? Campinas: Papirus, 1986.

_____. *A paixão de conhecer o mundo*. 14. ed. Rio de Janeiro: Paz e Terra, 2001.

FREUD, S. *Obras completas*. Rio de Janeiro: Standard Brasileira, 1976.

_____. *Totem e tabu*. Rio de Janeiro· Standard Brasileira, 1976. v. XIII.

_____. *Além do princípio do prazer e psicologia de grupo*. Rio de Janeiro: Standard Brasileira, 1976. v. XVIII.

PARA ESTUDAR

_____. *O futuro de uma ilusão*. Rio de Janeiro: Standard Brasileira, 1976. v. XXI.

FROMN, E. *O coração do homem*: seu gênio para o bem e para o mal. Rio de Janeiro: Zahar, 1967.

_____. *O medo à liberdade*. 14. ed. Rio de Janeiro: Zahar, 1983.

_____. *A arte de amar*. São Paulo: Martins Fontes, 2000.

GARDNER, H. *Cinco mentes para o futuro*. Porto Alegre: Artmed, 2007.

GAYOTTO, M. L. et al. *Líder de mudança e grupo operativo*. Petrópolis: Vozes, 1985.

HADJI, C. *A avaliação desmistificada*. Porto Alegre: Artmed, 2001.

HELLER, A. *O cotidiano e a história*. São Paulo: Paz e Terra, 1985.

HERMANN, F. *O que é psicanálise*: para iniciantes ou não... São Paulo: Psique, 1999.

KNELLER, G. *Arte e ciência da criatividade*. São Paulo: Ibrasa, 1968.

KUPFER, M. C. *Freud e a educação*: o mestre do impossível. São Paulo: Scipione, 1997.

LA TAILLE, Y. et al. *Piaget, Vygotsky, Wallon*: teorias psicogenéticas em discussão. São Paulo: Summus, 1992.

_____. *Limites*: três dimensões educativas. São Paulo: Ática, 1998.

_____. Autoridade na escola. In: AQUINO, J. (Org.) *Autoridade e autonomia na escola*: teóricas e práticas. São Paulo: Summus, 1999.

LARROSA, J. *Pedagogia profana*: danças, piruetas e mascaradas. Belo Horizonte: Autêntica, 2003.

_____. *Linguagem e educação depois de Babel*. Belo Horizonte: Autêntica, 2004.

LUCKESI, C. Avaliação educacional escolar: para além do autoritarismo. *ANDE*, São Paulo, v. 5, p. 47-51, 1986.

MARINA, J. A. *Teoria da inteligência criadora*. Lisboa: Caminho da Ciência, 1995.

MARTINS, M. C. F. D. *Aprendizagem da arte*: trilhas do sensível olhar-pensante. São Paulo: Espaço Pedagógico, 1992.

_____. Didática do ensino da arte. A língua do mundo: poetizar fruir e conhecer arte. São Paulo: FTD, 1998.

MAY, R. *A coragem de criar*. Rio de Janeiro: Nova Fronteira, 1982.

MATURANA R. H. *Emoção e linguagem na educação e na política*. Belo Horizonte: Editora da UFMG, 2002.

MATURANA, R. H.; VARELA, F. *A árvore do conhecimento*: as bases biológicas da compreensão humana. São Paulo: Palas Athena, 2002.

MERLEAU-PONTY, M. *Fenomenologia da percepção*. Rio de Janeiro: Freitas Bastos, 1971.

_____. *O olho e o espírito*. São Paulo: Abril Cultural, 1975. (Coleção Os Pensadores)

MONTAGU, A. *Tocar*: o significado humano da pele. São Paulo: Summus, 1988.

MORIN, E. *Os sete saberes necessários à educação do futuro*. São Paulo: Cortez, 2000.

_____. *Cabeça bem-feita*: repensar a reforma/reformar o pensamento. Rio de Janeiro: Bertand Brasil, 2004.

_____. *Amor, poesia, sabedoria*. Rio de Janeiro: Bertand Brasil, 2005.

NIETZSCHE, F. *Humano, demasiado humano*: um livro para espíritos livres. São Paulo: Companhia das Letras, 2005.

NOVAES, A. et al. *O olhar*. São Paulo: Companhia das Letras, 1988.

NÓVOA, A. et al. *Os professores e sua formação*. Lisboa: Dom Quixote, 1995.

OLIVEIRA, R. D. Reengenharia do tempo. Rio de Janeiro: Rocco, 2003.

OSTROWER, F. *Criatividade e processos de criação*. Petrópolis: Vozes, 1987.

PAÍN, S. *Subjetividade e objetividade*: relações entre desejo e conhecimento. São Paulo: Centro de Estudos Educacionais Vera Cruz, 1996.

PALACIOS, J. et al. *La cuestión escolar*: críticas y alternativas. Barcelona: Editorial Laia, 1978.

PAREYSON, L. *Os problemas da estética*. São Paulo: Martins Fontes, 1984.

PIAGET, J. *A psicologia da criança*. São Paulo: Difel, 1974.

_____. *A construção do real na criança*. Rio de Janeiro: Zahar, 1975.

_____. *A formação do símbolo*. Rio de Janeiro: Zahar, 1978.

_____. *Seis estudos de psicologia*. Rio de Janeiro: Forense Universitária, 1989.

PICHON-RIVIÈRE, E. *O processo grupal*. São Paulo: Martins Fontes, 1982.

_____. *Teoria do vínculo*. São Paulo: Martins Fontes, 1988.

RANCIÈRE, J. *O mestre ignorante* – Cinco lições sobre a emancipação intelectual. Belo Horizonte: Autêntica, 2005.

READ, H. *A educação pela arte*. São Paulo: Martins Fontes, 2001.

SALVATER, F. *O valor de educar*. São Paulo: Martins Fontes, 2000.

SCHÖN, D. *La formación de profesionales reflexivos*. Hacia un nuevo diseño de la enseñanza y aprendizaje en las profisiones. Barcelona: Paidós, 1992.

_____. Formar professores como profissionais reflexivos. In: NÓVOA, A. et al. *Os professores e sua formação*. Lisboa: Dom Quixote, 1995.

SILVA, M. C. P. *A paixão de formar*: da psicanálise à educação. Porto Alegre: Artes Médicas, 1994.

TEIXEIRA, A. *Educação é um direito*. São Paulo: Nacional, 1967.

_____. *Educação não é privilégio*. 3. ed. São Paulo: Nacional, 1971.

UNAMUNO, M. *Del sentimento tragico de la vida*. Buenos Aires: Losada, 1964.

VYGOTSKY, L. S. *A formação social da mente*: interação entre aprendizagem e desenvolvimento. São Paulo: Martins Fontes, 1984.

_____. *Pensamento e linguagem*. São Paulo: Martins Fontes, 2001.

_____. *Psicologia e arte*. São Paulo: Martins Fontes, 2002.

WALLON, H. *Psicologia e educação da criança*. Lisboa: Vega, 1979.

_____. *As origens do caráter na criança*. São Paulo: Nova Alexandria, 1995.

WINNICOTT, D. W. *A criança e seu mundo*. Rio de Janeiro: Zahar, 1982.

ZAMBRANO, M. *A metáfora do coração e outros escritos*. Lisboa: Assírio & Alvim, 2000.

SOBRE A AUTORA

MADALENA FREIRE é professora primária, arte-educadora e pedagoga. Dedica-se desde 1981 à formação de educadores com grupos de reflexão e estudo. Presta assessoria a instituições públicas e particulares em todo o território nacional. É autora de vários artigos e publicações e do livro *A paixão de conhecer o mundo*, publicado também pela Paz e Terra, já em sua 21ª edição.

madalenafreire@gmail.com

Este livro foi composto na tipografia Minion Pro, em corpo 11/13,2, e impresso em papel off-set no Sistema Digital Instant Duplex da Divisão Gráfica da Distribuidora Record.